전생 따위로 도망칠 수 있을 줄 알았나요, 오빠?

Even if you can escape with reincarnation, my brother?

"글쎄요? 그러고 보니 만난 지 얼마 안 된
여성의 방에 매일 밤 찾아와 작업을 걸었던
아주 호색한 신사분이 계셨던 것 같은데."
"그거 나지?! 나 말하는 거지?!"
얼굴조차 아직 알 수 없다.
그래도 잭이라고 생경한 이름으로 나를 부르는 그 목소리에는
확실하게 사랑이 담겨 있어서.
이들은 분명 내 행복을 자신의 행복처럼 느낄 거라고 마음으로 느꼈다…….

"……여보? 잭 앞에서 상스러운 말 하지 마세요. 여자 뒤꽁무니나 쫓아다니는 호색한으로 자라면 어쩌려고요? 누군가처럼 말이에요."

"이, 이봐?! 그거 나 말하는 거야?!"

영차...
오오오~

사제가 사이좋게 목욕 타임
빤~

Characters

Even if you can escape with reincarnation,
my brother?

잭 리버 (7세 모습)

리버 가문의 첫째이자 주인공.
똑같은 세계에 전생한 여동생의 재림에 대비해 자신의 정령술을 갈고닦고 있다.

아넬리

잭이 태어났을 때부터 알뜰살뜰 시중을 든 리버 가문의 메이드.

라켈

정령술을 수집하기 위해 각지를 여행 중인 엘프.
쓰러져 있는 것을 잭이 발견한다.

포스포드 필리네

포스포드 상회의 딸. 잭과 동갑으로 행동파 말괄량이.

칼럼

잭의 아버지. 예전에는 상당한 탕아였던 모양.

비키

『진홍의 고양이』라는 도적단을 이끄는 두령. 『피투성이 암표범』이라는 이명을 지녔다.

매들린

잭의 어머니. 생긴 대로 매우 젊어서 17세에 잭을 낳았다.

Even if you can escape
with reincarnation,
my brother?
후후. ……오빠, 찾았~다♥

전생 따위로 도망칠 수 있을 줄 알았나요, 오빠?

Even if you can escape with reincarnation, my brother?

저자
카미시로 쿄스케
일러스트
키린 카케루
옮긴이
송재희

Contents

Even if you can escape with reincarnation, my brother?

분명 당신을 사랑하고 있다. 설령 당신을 모르더라도.

결의의 유아기: 남매 전생편

Even if you can escape with reincarnation, my brother?

신은 한소리 들었다

트럭에 치여 죽었다.

그리고 소녀처럼 생긴 신과 만났다.

"주…… 죽은 걸 축하합니다! 아, 잘못 말했다, 조의를 표합니다……! 들리나요? 들리죠? 그럼, 어어, 바로 이런 얘기해서 죄송하지만, 당신의 사후 처우에 관해 설명하겠습니다!"

연분홍색 머리를 길게 기르고, 고대 그리스인처럼 하얀 천을 몸에 감은 차림인 소녀가 두꺼운 책의 페이지를 허둥지둥 넘겼다.

나는 멍하니 그 모습을 바라보았다. 해방감에 잠겨 있었다. 최악의 인생이 마침내 끝을 고한 해방감에.

"으음…… 생전에는 크게 나쁜 짓을 하지 않았네요. 기껏해야 여자의 호감을 눈치채지 못한 것 정도? 한편— 아아. 18세에 부모님을 교통사고로……. 무척 고생하셨군요……."

신은 슬프게 시선을 내렸다.

그런 표정 짓지 말았으면 좋겠다. 그 정도는 대단한 일도 아니었다.

"당신처럼 불우한 인생을 보낸 분은 내세에 우대 조치를 받을 권리가 있어요! 유복한 가정, 아름다운 외모, 우수한 재능, 거기에 기억 유지까지! 당신이 새로운 인생을 행복하게 영위할 수 있도록 보너스를 줄 수 있죠!"

필사적으로 설명하는 소녀의 모습을 보니 옛날 생각이 났다. 그래, 여동생이 어릴 적에 이랬다. 낯을 많이 가려서 뭔가 말하려고 하면 금세 빨개졌었다…….

"다만 지구가 아니라 다른 세계에 전생하게 되니까…… 생전의 지인과 재회하기는 어려워요. 하지만. 어어…… 하지만 말이죠. 아는 사람이 죽어서 똑같은 세계에 전생하면 얘기가 달라지는데—."

흐뭇하게 소녀를 지켜보던 나는 거기서 처음으로 이야기 내용이 귀에 들어왔다.

생전의 지인과 재회?

그런 일이 있을 수 있는 건가?

같은 세계에 전생하면?

"—동생은?!"

"꺅, 넵?!"

갑자기 내가 버럭 소리 지르자 신이 어깨를 움찔했다.

"나랑 같이 트럭에 치인 여동생은?! 혹시 그 녀석과 재회할 수도 있어……?!"

"아, 그게, 네. 그거 말인데요, 동생분과 아까 만났거든요……."

신은 어색하게 헤실헤실 웃었다.

"오빠랑 같은 세계에 전생할 수 있다고 하니까 기뻐하며 승낙했……."

"—무슨 짓을 한 거야아아!!!!"

목이 터져라 고함을 지르며 신의 멱살을 잡았다.

"당신 몰라?! 신이잖아! 전지전능하잖아!! 그럼 알 텐데!! 그 녀석이…… 동생이 대체 어떤 녀석인지……!!"

"힉, 히에……."

앳된 얼굴이 공포로 일그러졌지만 알 바 아니었다.

전생이라고? 내세에 우대 조치라고?

그딴 괜한 짓을 잘도!!

마침내— 마침내, 마침내, 마침내— 악마 같은 동생한테서 해방됐다고 생각했는데……!!

"그럼 안 해! 전생 따위 절대로 사양이야!! 천국이든 지옥이든 보내 줘!!"

"죄, 죄송해요……! 안 돼요, 무리예요……!! 당신을 제대로 전생시키지 않으면 제가—."

뭐? —제가?

"에잇!"

신의 말에 정신이 팔린 순간, 시야가 흐려지기 시작했다.

따뜻한 느낌과 부유감이 온몸을 감쌌다.

소녀의 모습이 순백 속으로 사라지고—.

두근, 두근.

—안심이 되는 소리가 귓가에서 울렸다.

이건 설마— 엄마의 심장 소리?

내 의식이 태아에 깃들고 있는 건가……?!

"아— 아무쪼록, 무사히 도망쳐 주세요……!"

신의 목소리가 아득한 저편에서 들려왔다.

"숨고, 따돌려서, 절대 들키지 않게! 저는 쭉 당신을 지켜보고 있을 거예요—!!"

목소리는 희미해져 의식 저편으로 사라졌다.

—무사히 도망친다.

숨고, 따돌려서, 절대 들키지 않게—.

……그런 일을 내가 할 수 있을까?

동생에게 5년이나 감금당했었는데.

아름다운 외모보다도, 우수한 재능보다도

"—네네, 잭 님. 아넬리는 여기 있어요."

방울이 맑게 울리는 것 같은 귀여운 목소리가 내 고막을 두드렸다.

여긴…… 어디지……?

눈이 잘 안 보였다. 물속에 있는 것처럼 어렴풋했다. 사람의 얼굴이라는 걸 간신히 알 수 있는 그림자가 내 얼굴을 들여다보고 있었다. 영문도 모른 채 그리로 손을 뻗으니.

"후후. 잠시만 기다려 주세요. 금방 깨끗하게 닦아 드릴게요."

갑자기 하반신이 시원해졌다.

……어?! 나…… 지금…… 팬티 벗겨진 거 아니야?!

혼란과 경악으로 굳어 있는 사이에 무지막지하게 거대한 손이 내 엉덩이를 받쳐 들었다. 거, 거인?! 거인이라고 하기에는 손이 보들보들하고 차가워서 기분 좋지만……. 마치 10대 소녀의 손처럼.

부드러운 천이 엉덩이에 닿더니 상냥한 손길로 문지르기 시작했다. 수치심인지 공포심인지 모를 감각이 오싹하게 온몸에 퍼져서 나는 손발을 버둥거렸다.

"잭 님, 오늘은 기운이 넘치시네요? 하지만 조금만 얌전

히 있어 주세요."

들린 목소리는 역시 10대…… 그것도 10대 초반인 것 같은 여자아이의 목소리였다.

나는 강하게 빛이 느껴지는 방향으로 손을 뻗었다. 시야 한가운데에 단풍잎만 한 작은 손이 나타났다. 쥐었다. 폈다. 쥐었다. 폈다. 작은 손도 그렇게 움직였다.

갓난아기다.

나는 갓난아기가 된 거다.

혼란에 빠져 있던 뇌가 마침내 최후의 기억을 떠올렸다. 새하얀 공간에서 신으로 보이는 소녀와 만났고, 내 내세가 어쩌고저쩌고하는 이야기를 들었다. 우대 조치로 기억을 유지할 수 있다고도 했다.

나는 정말로 기억을 고스란히 가진 채 다시 태어난 건가.

그리고 지금…… 아마도 10대 초반일 여자아이가 내 엉덩이를 닦아 주고 있는 건가.

멍하니 있어야 할지 부끄러워해야 할지 모르겠다. 뇌가 상황을 전혀 쫓아가지 못했다.

"자, 시원해지셨죠?"

엉덩이뿐만 아니라 앞쪽까지 — 아무래도 나는 또 남자로 태어난 것 같다 — 남김없이 닦여지고 마침내 팬티 같은 것을 입게 되었다.

"슬슬 젖 먹을 시간이에요. ……제가 드릴 수 있다면 좋겠지만 이것만큼은 어쩔 수 없죠. 어머님에게 가요."

상냥하게 몸이 들리더니 따뜻한 체온에 감싸였다. 오른쪽 몸에 말랑하게 닿는 이건 혹시 이 소녀의 가슴일까. 반사적으로 그 둔덕을 콕콕 찌르니.

"앙. ……아이참, 간지러워요."

소녀가 웃음기 어린 목소리로 그렇게 말했다.

말뜻은 대충 이해가 됐다. 하지만 그건 명백히 일본어가 아니었다. 나는 어느새 처음 듣는 이 언어를 배운 것이다. 아마도 모국어로서.

나는 정말로 전생했구나.

기억을 그대로 가진 채 전혀 다른 인간으로— 지구와는 다른 이세계에.

크림처럼 달콤한 냄새가 났다.

신기하게도 안심이 되는 냄새에 휩싸여서 나는 지금 젖을 빨고 있다.

물론 이 세계에서 나를 낳은 친엄마의. 그래서 그런지 추잡한 기분은 조금도 들지 않았고, 버릇처럼 젖꼭지를 입에 물고 모유를 마시고 있었다. 꽤 맛있었다.

"배고팠나 보네요."

자상한 손길이 내 머리를 쓰다듬었다. 시력이 아직 약한

지, 얼굴을 바라봐도 생김새조차 알 수 없었다. 하지만 미소 짓고 있을 것이다. 막연하게 그것만큼은 알 수 있었다.

깨어났을 때 본 여자아이는 아무래도 하녀인 것 같았다. —즉, 나는 하녀를 고용할 만큼 커다란 집에 태어난 거다. 신이 예시로 들었던 우대 조치 중에 『유복한 가정』이 있었던 게 생각났다.

"0세에 매들린의 젖을 빨 수 있다니 부러운 녀석이야. 나는 몇 년이 걸렸는지 모르는데."

활력 있는 남성의 목소리도 들렸다. 이쪽이 아마 내 아빠일 것이다.

"……여보? 잭 앞에서 상스러운 말 하지 마세요. 여자 뒤꽁무니나 쫓아다니는 호색한으로 자라면 어쩌려고요? 누군가처럼 말이에요."

"이, 이봐?! 그거 나 말하는 거야?!"

"글쎄요? 그러고 보니 만난 지 얼마 안 된 여성의 방에 매일 밤 찾아와 작업을 걸었던 아주 호색한 신사분이 계셨던 것 같은데."

"그거 나지?! 나 말하는 거지?!"

여성의 목소리가 작게 웃었다. ……금슬이 좋은 건 잘된 일이지만, 내 부모라고 생각하니 좀 민망했다.

"……흥. 됐어. 잭은 내 아이야. 여자 한 명 못 꼬시는 연약한 놈으로 자라는 건 내가 용서 못 해."

"어른스럽지 못하게 삐지지 마세요. ……이 아이는 분명 건강하게 자랄 거예요. 그리고 행복해질 거예요. 저는 알 수 있어요."

"그야 내 아내가 죽도록 고생해서 낳았으니까. 너희 마을 사람들에게도 당당히 보여 줄 수 있을 만한 아주 행복한 남자로 자라 줘야지……."

얼굴조차 아직 알 수 없다.

그래도 잭이라고 생경한 이름으로 나를 부르는 그 목소리에는 확실하게 사랑이 담겨 있어서.

이들은 분명 내 행복을 자신의 행복처럼 여길 거라고 마음으로 느꼈다…….

……아아, 역시 신은 다 알고 있었다.

내가 원했던 건 이것뿐이다.

내 행복을 기뻐해 주는 다정한 가족— 이보다 더 원하는 게 있을 리 없다.

여전히 현실을 완전히 받아들이지는 못했다. 꿈결 속에 있는 것 같은 붕 뜬 기분이다. 그래도 한 가지 결의가 자연스럽게 마음속에 떠올랐다.

어쩌면 나는 순수한 의미에서 이들의 자식이 아닐지도 모른다.

오히려 그 입장을 빼앗은 찬탈자일지도 모른다.

—그러니 나는 잭이 되자.

이들의 목소리에 담긴 온기는 진짜고, 그에 부응하고 싶은 내 마음도 진짜니까.

그러니까 적어도.

설령 영혼이 가짜더라도 마음의 자세만큼은.

이들의 진정한 가족이 되어야 한다고— 나는 그렇게 생각했다.

—내 이름은 잭 리버.

—라에스 왕국 다임쿠르드 백작 칼럼 리버의 첫째 아들.

망가뜨리게 둘 수는 없다. 이 가족을, 전생처럼.

하나뿐인 무기

무사히 도망쳐라. 숨어라. 따돌려라. 절대 들키지 않게—.

소녀 모습의 신이 했던 말을 나는 가슴에 깊이깊이 새겼다.

평범하게 생각하면 그건 어려운 일이 아닐 터다. 나는 전생했으니까. 얼굴도, 이름도, 입장도, 전부 바뀌었으니까.

나를 나라고 특정할 수 있는 재료는 기억밖에 없다.

즉, 내가 허점을 드러내지 않으면 된다.

—이를테면, 어릴 때부터 상식을 벗어난 재능을 발휘한다든가.

—이를테면, 전생의 지식을 구사하여 영지에 번영을 가져온다든가.

—이를테면, 세상을 구해 영웅이 된다든가.

그런 『저는 전생자입니다』라고 광고하는 짓만 하지 않는다면 동생도 나를 찾을 수 없을 터다.

다만 한 가지 걱정이 있다면…… 동생이 무지막지하게 우수하다는 점이다.

생각도 못 한 방법으로 나를 찾아낼 가능성이 있다…….

……자신을 지킬 수단이 필요하다.

악마 같은 동생에게 대항할 수단이.

다행히 그건 신이 준비해 줬다.

내 의식이 각성하고 석 달째— 생후 9개월에 그것은 나타났다.

뭔가 평소보다 천장이 가깝네.

최초의 인식은 그 정도였다. 하지만 시간이 지나면서 점차 상황이 파악되었다.

등으로 침대가 느껴지지 않았다. 조금 뒤척이자 몸이 빙글 돌았다.

—뭐야? 뭐야? 뭐야?!

무서워져서 버둥거리자 한참 아래쪽에 내가 누워 있던 아기 침대가 보였다.

혹시— 나 공중에 떠 있어?

"아…… 아아……!"

머리를 트윈테일로 묶은 열네 살쯤 되는 메이드가 놀란 얼굴로 나를 올려다보고 있었다.

나를 돌보는 메이드로 이름은 아넬리였다.

아넬리가 기저귀를 갈려고 한 순간에 내 몸이 둥실둥실 떠오르기 시작한 것이다.

즉, 나는 지금 하반신을 훤히 드러낸 상태로 풍선처럼 떠 있었다.

저기…… 얼른 입혀 주지 않을래요?

그런 생각을 시선에 담아 아넬리에게 보냈지만, 제2의 엄마라고 해도 좋을 소녀에게는 안타깝게도 전해지지 않은 것 같았다.

"주…… 주인님—!! 마님—!!"

그렇게 외치며 아넬리는 방을 뛰쳐나가 버렸다.

하반신을 드러낸 채 허공에 뜬 나는 작은 몸으로 식은땀을 줄줄 흘렸다.

으음…… 뭐랬더라? 『어릴 때부터 상식을 벗어난 재능을 발휘한다』 같은 일은 하면 안 된다고 했었지?

"—오오…… 굉장해! 우리 아이는 정말 굉장해!"

"네……! 이렇게 어린 나이에 정령술을 발현시키다니……!"

아넬리가 데려온 부모님은 둥실둥실 떠 있는 나를 보자마자 경악과 환희가 반반씩 섞인 모습을 보였다.

정령술? ……이라고 했나? 방금.

"내가 정령술을 처음 쓴 건 네 살쯤이었는데……."

"태어나자마자 쓸 수 있는 아이가 간혹 있다고 듣기는 했지만…… 이 아이는 정령에게 사랑받고 있는 거군요……."

간혹 있다면 나만 특이한 게 아닌가? 그럼 세이프? 세이프일까?

어쨌든 무슨 이야기인지 아직 이해가 되지 않았다.

나는 설명을 듣고 싶어서 부모님에게 손을 뻗고 「아~ 아~」 하고 말했다.

"그래, 무섭지? 이리 오렴, 옳지, 착하다."

엄마 매들린이 나를 잡아 따뜻하고 풍만한 가슴에 안았다.

그리고 아빠 칼럼이 내 얼굴을 들여다보며 조곤조곤 이야기했다.

"잘 들으렴, 잭. 우리 모두에게는 정령의 분령(分靈)이— 정령의 아이 같은 것이 깃들어 있단다. 당연히 너에게도 있지. 네게 깃들어 있는 정령의 힘이 네 몸을 떠오르게 한 거야."

아아, 그런가— 정령의 힘으로 쓰는 기술이라 정령술이구나.

"정령의 힘은 누구나 가지고 있고, 손발을 움직이듯 자연스럽게 다룰 수 있어. 하지만 너는 틀림없이 특별해! —아빠는 정했다, 잭. 너의 그 힘을 전력으로 키우겠어. 부디 그 힘을 세상과 사람을 위해 써 주렴."

"여보, 지금 그렇게 말해도 이해 못 할 거예요. 아직 아기니까요."

"아니, 전해졌을 거야! 내 아이니까!"

내 새로운 부모님은 나를 가운데 두고 웃었다.

응, 전해졌어, 아빠.

나는 이 힘을 세상과 사람을 위해 쓰겠다.

그래— 무시무시한 동생으로부터 이 세상과 사람들을 지키기 위해.

"자, 책 읽을 시간이에요, 잭 님."

나는 아직 이 세계에서 인쇄물을 본 적이 없다. 책은 전부 손으로 쓴 사본이고, 종이도 현대 일본처럼 흔하지 않았다.

하지만 리버 저택에는 서고가 있었다.

큰 책장에 빽빽이 꽂힌 책 하나하나의 가격은 과연 얼마나 나갈까. 분명 일반 서민은 살 수 없는 가격일 터다. 귀족 가문에 태어난 것이 얼마나 큰 이점인지 실감했다.

이것도 신이 준 기회다. 이용해야 한다.

내 보모인 트윈테일 메이드 아넬리가 책장에서 세 권쯤 책을 꺼내 내 앞에 늘어놓았다. 글자는 아직 거의 읽지 못했다. 하지만 『정령』을 의미하는 글자만큼은 거듭된 책 읽기 시간의 경험으로 유추할 수 있었다.

제목에 『정령』이 들어간 책을 손으로 찰싹찰싹 때렸다.

"이 책이요? 잭 님은 정말로 정령과 연이 있으시네요……."

아직 아기니까 대충 골랐다고 여기고 있을 것이다. 뭘 하든 운명의 인도처럼 생각했다. 뭔가 인생의 허들이 굉장히 높아진 것 같아서 조금 무섭다.

아넬리는 나를 안아서 자기 무릎 위에 앉혔다.

아직 발달 중인 말랑한 것이 뒤통수에 닿았지만, 다행히 전생한 뒤로 그런 욕구는 깨끗하게 소실된 상태였다. 아기라서 그런지— 아니면 그 5년간 때문인지.

뭐, 그렇지 않았다면 전생의 나보다 어려 보이는 엄마의 젖을 매일매일 빨 수 없었을 거다. 오히려 고마운 일이다.

작은 가슴을 헤드레스트 삼아 기대자 아넬리가 나를 껴안듯 팔을 앞으로 두르고 책을 펼쳤다. 온화한 목소리가 귓가를 스쳤다.

"—『옛날에 한 왕이 있었다. 왕은 큰 지혜와 신의 반지로 자연이나 마찬가지인 정령들을 거느렸다』—."

내가 고른 책은『정령왕 창세록』으로, 이 세계의 성경 같은 거였다.

"—『세계는 공허했다. 그러나 문이 열리고 왕이 나타났다. 왕은 귀를 기울여 파도 소리를 들었다. 창세의 첫째였다. 왕은 공허에 반지를 던졌다. 눈 깜짝할 사이에 물이 차올라 바다가 되었다. 창세의 둘째였다. 이어서 정령들이 찾아왔다. 정령들은 땅, 하늘, 물, 바람, 온갖 것의 고삐를 잡고 서로 합의하여 세계에 법칙을 부여했다. 창세의 셋째였다』—."

이 책에 적힌 것이 어디까지 사실인지 알 수 없지만, 적어도 이 세계의 인간은 이 세계관 속에서 살고 있는 것 같았다.

아넬리가 교사 같은 말투로 말했다.

"정령은 세계 자체이자 서로 도우며 살아가는 이웃이기도 해요."

아넬리가 내 눈앞에 가느다란 손가락을 세웠다. 연분홍색 손톱 끝에서 반딧불 같은 불꽃이 화륵 타올랐다. 그게 아넬리의 정령술이었다.

"저도 요리할 때 늘 정령—《아임》의 힘을 빌려요. 인간은 정령의 힘으로 삶을 이어가고, 정령은 인간을 거처 삼아 존재해요. 그렇게 세계는 몇천 년이나 이어져 왔어요."

창세록에 의하면 정령은 전부 합해 일흔둘 있다.

엘프나 드워프 등도 포함해서 모든 인류에게 그 분령 — 요컨대 양산형 — 이 하나씩 깃들어 있다고 한다. 그리고 정령별로 다른 정령술이 발현되고, 그 힘을 써서 사람들은 살아간다. 불을 다루는 정령술로 불을 피우고, 물을 다루는 정령술로 목을 축이고 하는 식으로.

신경 쓰이는 점이 있다면「인간은 정령의 힘으로 삶을 이어가고, 정령은 인간을 거처 삼아 존재한다」라는 관계성이다. 만약 그게 사실이라면 양산형인 분령뿐만 아니라 오리지널인 정령 본체— 본령이라고 해야 할 존재도 인간에게 깃들어 있을 것이다. 그렇다면 세계에 일흔두 명밖에 없다는 건데…….

"잭 님에게 깃든 건《안드레알푸스》라는 정령이에요."

아넬리는 손톱 끝에 만든 불을 끄고 상냥한 목소리로 말했다.

"그 힘은【자립의 투익(透翼)】— 자기 몸에 닿거나 만진 것의 무게를 없애 버리는 정령술이에요. 멋대로 둥둥 날아가지 않도록 조심하셔야 해요. 알았죠?"

그리고 나를 이곳에 묶어 두듯 부드럽게 꼭 껴안았다.

꽃향기 같은 달콤한 냄새가 코를 간질였다. 작은 손으로 아넬리의 뺨을 조물조물 만져서 답례하자 아넬리는 간지러운지 키득키득 웃었다.

어떤 정령이 깃들었는지에 따라 쓸 수 있는 정령술이 결정된다. 정령의 종류가 일흔둘이니 정령술의 종류도 일흔둘. 큰 틀은 그게 전부다.

하지만 숙련도에 따라 효과가 강해지기도 하는 것 같았다. 여기서 멀리 떨어진 왕도에는 정령술을 배우는 학원도 있다고 했다.

아빠는 내게 정령술 영재 교육을 시키려는 것 같지만, 그래도 말 못 하는 아기에게 가정 교사를 붙이지는 않았다.

하지만 동생이 언제 나를 찾아낼지 모른다.

시험하고, 파악하고, 강화하겠다.

내게 주어진 하나뿐인 이 무기를.

전승에 따르면.

옛날에는 하늘과 땅의 구별이 없었다고 한다. 모두가 자유롭게 산을 넘고, 전 세계 사람들과 이야기할 수 있었다.

하지만 그 결과, 다른 말, 다른 사상, 다른 신앙이 충돌하여 모두가 자기 생각대로 살 수 없게 되었다. 그 상황을 걱정스럽게 여긴 정령「안드레알푸스」는 보이지 않는 사슬로 사람들을 대지에 묶어 산을 가뿐히 넘을 수 없게 만들었다고 한다.

과도한 자유는 부자유가 된다는 교훈이 담긴 이야기지만,【자립의 투익】의 힘에 눈뜬 나는 그 이야기를 단순한 훈화로 일축할 수 없었다.

사슬이 보였다.

블록 장난감으로 놀고 있을 때였다. 손에 든 나무 블록에 크고 작은 무수한 사슬이 칭칭 감겨 있었다. 실제로 눈에 보인 건 아니었다. 그저 막연하게 그런 이미지가 있었다. 오감과는 별개로『그것』을 느끼는 감각이 생겨난 것처럼.

보이지 않는 사슬이 블록을 조이기도 하고 당기기도 했는데, 그중에서 땅 쪽으로 뻗어 있는 사슬이 가장 두꺼웠다.

혹시 이게 중력인가?

지혜의 고리를 풀듯이, 이미지 감각의 뒤얽힌 사슬을 풀었다. 그러자 블록에서 무게가 사라졌다. 역시 이 사슬은 중력을 의미하는 걸까.

응?

나는 고개를 갸웃했다.

손에 든 블록에서는 무게뿐만 아니라 감촉도 느껴지지

않았다.

만지고 있는 느낌이 전혀 들지 않았다. 마치 공기를 잡고 있는 것 같았다.

손을 펼치자 블록이 둥실둥실 떠올랐다. 눈앞에 떠 있는 블록이 어째선지 굉장히 멀게 느껴졌다. 예를 들면, 그래, 모니터 너머로 보는 느낌이었다. 바로 앞에 보이지만 바로 앞에 존재하지는 않는.

이거…… 건드리면 어떻게 되는 거지?

몹시 궁금해져서 툭 건드려 봤다. 역시 만진 느낌은 안 들었고—.

—당구공처럼 슝 날아갔다.

블록이 벽과 천장에 부딪쳐 마구 튀어서 나는 황급히 머리를 숙였다. 큰일이다…… 이거 어떻게 멈추지?!

"잭 님~ 일어나셨어요~? —꺅!"

그러는 사이에 문이 열리며 아넬리가 나타났고— 그 이마와 블록이 격돌했다.

괜찮나 싶어서 순간 당황했지만, 아넬리는 아파하지도 않고 얼떨떨한 모습이었다.

"어라? 방금 뭔가 부딪쳤나요……?"

부딪쳤다는 것조차 모르다니……? 블록과 격돌한 아넬리의 이마는 빨갛지도 않았다. 부딪친 적이 없는 것처럼.

툭 소리가 났다.

소리가 난 곳을 보니 블록이 바닥에 굴러다니고 있었다.

나는 거기까지 기어갔다. 그렇게나 벽과 천장에 부딪쳤는데 블록에는 흠집 하나 없었다.

부유 중인 물체는 아무리 충돌해도 대미지를 주지 못하고, 대미지를 입지도 않는 건가?

그럼 칼로 베면 어떻게 될까. 불태우면?

나는 아기 침대 쪽에서 뭔가 작업 중인 아넬리를 보고 「아우아우」 하고 말했다.

"왜 그러세요? 잭 님. 배고프세요?"

역시 아넬리다. 내 의도를 바로 헤아려 줬다.

내 몸을 둥실 띄워서 품에 파고들자 아넬리는 후후 웃었다.

"어리광쟁이시네요. 그럼 같이 부엌으로 가요."

이리하여 아넬리가 부엌에서 이유식을 만드는 동안 나는 궁금한 것을 시험해 볼 수 있었다.

부유시킨 사과를 칼로 자르려고 해도 미끄러지기만 했으나, 부유시킨 냄비는 문제없이 불로 달굴 수 있었다. 부유 중인 물체는 물리적인 충격을 전부 흘리지만 불이나 바람의 영향은 받는다고 생각하면 될 것이다.

즉, 나를 부유시키면 화상을 제외한 웬만한 상처를 피할 수 있다.

그렇다면 남은 건 공격 면인데— 부유시킨 물건을 날려도 아무런 대미지를 주지 못하니, 격돌하는 순간 무게를 원래대로 돌려야 한다.

어떻게 해야 할지 힌트는 있었다. 아까 내 관심이 아넬리의 이마로 옮겨지자 블록이 바닥에 떨어졌다.

즉, 블록을 의식하지 않자 부유가 풀렸다. 대상을 계속 의식해야만 부유가 유지되는 것 아닐까.

아기방으로 돌아와 다시 블록을 띄워 보니 바로 알 수 있었다.

블록을 내버려 두자 풀렸던 사슬이 저절로 돌아왔다.

방치하면 약 3초 만에 모든 사슬이 부활하지만, 집중하니 1분 정도 띄울 수 있었다. 계속 반복하니 2분으로 늘어나고 3분으로 늘어났다.

얼마나 띄울 수 있을까? 개수에 한계가 있을까?

그렇게 생각한 나는 두 번째 블록, 세 번째 블록으로 손을 뻗었고—.

"—오오!"

잠시 후 찾아온 아빠가 감탄하여 외쳤다.

총 열 개의 블록이 아기방 공중에 흩어져 있는 것을 보았기 때문이다.

"이 나이에 이렇게까지 정령술을 구사하다니…… 역시 넌 천재야!"

아빠가 크게 기뻐하며 나를 안아 들었다. 그와 동시에 떠 있던 블록이 와르르 낙하했다.

으아아! 신기록이었는데!

도미노를 누가 멋대로 넘어뜨린 것 같은 기분이었다. 그런 줄도 모르고 아빠는 내게 뺨을 문지르기 시작했다.

까슬까슬해서 아파! 수염을 깎아! 수염을!

항의의 뜻을 담아 뺨을 찰싹찰싹 때리자 아빠는 슬픈 얼굴로 떨어졌다. 그런 표정 짓지 마…….

이렇게 가족과 평범하게 실없이 보내고 있으면 예전 기억이 마치 쇠사슬처럼, 쐐기처럼 뇌리를 스친다.

열여덟 살 때.

고등학교 졸업과 거의 동시에 시작된 악몽 같은 나날의 기억이.

악몽 같은 나날

내가 고등학교를 졸업하고 거의 동시에 부모님이 돌아가셨다.

사고였다. 경찰이 수사하는 일도 없이 아무 일도 없었던 것처럼 처리되었다.

그 후 나는 여동생과 둘이서 살게 되었다.

그리고— 모든 것을 지배당했다.

『자, 오빠. 아~ 해요♥.』

반쯤 벌어진 내 입으로 동생의 혀가 들어왔다.

타액과 함께 들어오는 것은 동생이 씹은 음식이었다. 구역질이 올라오는 것을 참으며 나는 그것을 필사적으로 삼켰다.

동생은 입을 떼고 촉촉한 입술을 손으로 덧그리며 엷게 웃었다.

『맛있었어요? 동생의 타액으로 완성한 봄나물 스튜예요♥.』

열아홉 살이 되는 해의 봄 이후로 내 식사는 전부 동생이 입으로 먹이게 되었다.

딱히 묶여 있지는 않았다. 손발 모두 자유롭게 움직였다.

그래도 내 손발은 움직이지 않았다. ……움직이면 안 된다는 걸 나는 알고 있었다.

『아아, 오빠, 토하면 안 되죠. 아깝게. 음식을 소중히 여기지 않는 오빠에게는― 벌을 줘야겠죠?』

하지 말라고 외치기도 전에 동생은 집을 나갔다.

쫓아가려고 했지만 다리가 꼬여서 넘어졌다. 일어나려고 해도 팔에 힘이 들어가지 않았다.

떨리고 있었다. 무서웠다. 머릿속까지 마비시키는 공포가 온몸을 꽁꽁 묶고 있었다.

왜냐하면 나는 알고 있으니까.

동생에게 거역하면 어떻게 되는지…… 이 눈으로 수없이 봤으니까…….

동생이 뭔가를 질질 끌며 돌아왔다.

양손 양발이 묶이고 입이 막힌 여자.

고등학생 때 내가 들어갔던 동아리의 매니저였다.

『으음…… 카와고에 레나 씨?』

동생은 공포에 질려 자신을 쳐다보는 카와고에 옆에 쭈그려 앉았다.

은색으로 빛나는 것이 손에 들려 있었다.

커튼 사이로 들어온 빛을 받아 반짝이는 그것은…… 예리하게 벼려진 식칼이었다.

『저는 다 봤어요.』

동생은 다정한 느낌이 드는 표정을 싱긋 지으며 죄를 논했다.

『작년 7월 27일 오후 3시 46분 32초부터 56초까지— 24초 동안이나 발정 난 암캐 같은 눈으로 오빠를 봤죠?』

카와고에는 필사적으로 고개를 저었다. 그건 종말을 앞둔 자의 진실하고 참된 부정이었다. 하지만— 그런데도.

『거짓말하면 안 되죠.』

대수롭지 않게.

동생이 카와고에의 손을 잡아 눌렀고— 그리고.

『————————!!!!』

카와고에는 입이 막힌 채 절규했다. 눈에서, 입에서, 피 같은 즙을 흘리며 움찔움찔 온몸을 경련시켰다. 살충제를 맞은 벌레처럼.

거무스름한 액체가 바닥에 서서히 퍼졌다. 그 안에 떠오른 것을 나는 보았다.

이제는 온기도 없고 움직이지도 않을— 손톱이 달린 살덩어리.

몇 초 전까지 카와고에의 손에 붙어 있었을 터인 것.

『오빠를 사랑해도 되는 건 저뿐이에요.』

격통에 자지러지는 카와고에를 내려다보고서 동생은 선고했다.

『다른 여자의 사랑이 들어올 여지는 어디에도 없어요. 그런데 당신은 사랑했어. 사랑해 버렸어. 어째서 그런 죄를 저지른 걸까요? 왠지 아나요?』

동생은 카와고에의 얼굴을 잡아 강제로 고개를 들게 했다.
『눈이 있기 때문이에요.』
희미하게 웃는 꼴을 보니 토할 것 같았다.
『당신 같은 인간한테 이런 훌륭한 눈깔이 두 개나 달려 있으니까 오빠의 전무후무한 멋진 모습을 보고 발정해 버린 거예요. 그러니까—.』
동생이 꺼낸 도구를 본 순간, 오열과 메스꺼움이 왈칵 치밀어 올라왔다.
T자형 손잡이, 드릴처럼 생긴 끝부분.
원래는 즐거운 파티에서 제 역할을 하는 그것이— 지금 이 상황에서는…… 전혀 다른 끔찍한 용도를…… 상기시켰다.
『—제가 뽑아 줄게요.』
그건 코르크 따개였다.
와인병의 뚜껑을 따는 데 쓰는, 어느 집에나 있는 평범한 코르크 따개.
하지만 지금부터 뽑힐 것이 코르크 따위가 아니라는 것은…… 내가 보기에도, 카와고에가 보기에도 명백했다…….
동생은 그것을 카와고에의 눈앞에 들었다. ……겁주려고 보여 준 것이 아니었다. 단단한 코르크에 쉽게 박히는 돌돌 말린 뾰족한 끝부분을— 코르크와 비교하면 훨씬 부드러운 충혈된 안구에 박기 위해서였다.

카와고에는 얼굴을 돌리려고 했다.

그 돌돌 말린 끝부분으로부터 눈을 지키려고 했다.

하지만 그러기 전에, 그 가느다란 팔에서 나올 수 없을 것 같은 힘으로 동생이 머리를 고정했다.

『……안…….』

제지하는 외침은 목구멍으로 나오기 전에 뭉개져 사라졌다.

못 하게 하면 동생은 내 친구와 지인을 줄줄이 납치해 내 눈앞에서 고문한다.

그래서 나는 움직일 수 없었다. 움직이지 않았다.

코르크 따개의 끝부분이 크게 뜨인 카와고에의 오른쪽 눈에 서서히 다가갔고…….

그 눈이 마지막 순간에 나를 본 것 같았다.

『—오빠가 착하게 있으면 다른 사람들한테는 손대지 않아요. 그렇게 약속했어요.』

일이 끝나고, 움직이지 않게 된 카와고에를 처리하고서 동생이 내게 말했다.

『그러니까 착하게 있어 주세요, 오빠. 저도 이런 일로 오빠와의 시간을 뺏기기 싫어요.』

동생은 내게 천천히 다가오며 치마를 바닥에 툭 떨어뜨렸다.

그리고 블라우스의 단추를 하나씩 풀었다.

동생은 순식간에 알몸이 되었고…… 내게 기대며 달콤한

목소리로 속삭였다…….

『쭉 이렇게 살아요, 오빠…….』

—나는 겁쟁이였다.

변명만 늘어놓으며 아무것도 못 하는, 겁 많고 약아빠진 개새끼였다.

내 눈앞에서 살해당한 사람이 몇 명일까. 다섯 명까지는 셌지만 이제는 생각나지 않는다.

이거야말로 증거였다.

피비린내는, 단말마의 비명은 이렇게나, 이렇게나 영혼에 새겨져 있는데— 그들의 얼굴은 도저히 떠올릴 수 없다.

나는 피해자인 척하면서…… 자신의 비겁함을 변명했을 뿐이다.

이름도 생각나지 않는 이들.

어두운 방에 진동했던 피비린내, 그 냄새의 주인들.

그들을 죽인 사람은 내 동생이다.

나는 그들의 죽음을 방관했다.

—반 정도는 내가 그들을 죽인 것이다.

5년간— 경찰의 도움은 한 번도 받지 못했다.

내 인격은 마모되어 의식이 있을 뿐인 시체처럼 되었고…… 방어 본능인지 감금당하기 전의 기억은 망가진 영상 데이터처럼 불분명해져서— 끝내는 시간의 흐름조차 느껴지지 않게 되었다.

감기 걸렸을 때 꾸는 악몽처럼 끔찍한 일들만 난잡하게 들이닥치고 떠나는 나날이었다. ……사실은 5년이라는 세월조차 대략적인 추측일 뿐이다.

과거가 삭제되고, 미래가 막히고, 아무 데도 도망칠 곳이 없어졌다.

하지만 어느 날, 작은 소리가 그런 나날에 별안간 끝을 고했다.

—달칵.

그건…… 잠긴 문이 열리는 소리였다.

동생은 없는 것 같았다. 뭔가 사러 나간 걸까……. 그럼 동생이 나갔다가 돌아온 걸까. 악몽이 또 시작되는 걸까…….

하지만 잠시 기다려도 아무도 들어오지 않았다.

의식이 점차 각성했다. 갑자기 찾아온 희망을 조심조심 인식했다.

나는 야윈 다리로 일어나 현관으로 비틀비틀 달렸다.

문은 역시 잠겨 있지 않았다. 잠기지 않은 채 방치되어 있었다.

마치 내게 손을 내미는 것처럼.

떨리는 손으로 문손잡이를 잡았다. 오른쪽으로 돌리는지 왼쪽으로 돌리는지, 그런 것도 생각나지 않아서 몇 번이나 덜컥거리며 돌린 끝에.

문을 열었다.

5년 만에 바깥 공기를 마셨다. 초목의 냄새가 났다. 자동차 소리가 들렸다. 기억과 조금 다른 거리가 창밖에 보였다.

좌우로 뻗은 아파트 복도에는 아무도 없었다. 나 혼자. 그저 나 혼자.

이곳에 동생은 없다.

나는 신발도 신지 않고 뛰쳐나갔다. 약해진 다리가 아픔을 호소했으나 신경 쓰지 않고. 복도를 달리고, 계단을 뛰어 내려가서, 입구 홀 밖으로 뛰쳐나갔다.

햇빛이 눈을 찔렀다.

피부가 타는 것 같았다.

온화한 바람이 목덜미를 어루만지고 갔다.

『―하하.』

『하하하.』

달아났다.

『하하하하하하하하하하하하하하하하하하하하하하하하하―!!』

달아났다!!

정처 없이 달리며 나는 미친 듯이 웃었다.

아아, 멋져.

동생이 없다니 너무 멋져!

생각해 보면 나는 진즉에 미쳐 버렸던 것 같다. 악몽 같은 세계에서 5년이나 갇혀 지내며 마음이 철저히 망가져 버린 것이다.

정상이었다면 쓸데없이 뛰어다니는 게 아니라 바로 경찰서로 달려갔을 터다.

그랬다면 분명— 발각되지도 않았을 텐데.

『……나쁜 아이네요, 오빠.』

동생이 내 앞을 막아섰다.

그 옷에는 아직 신선한 누군가의 피가 묻어 있었다.

나는 몸을 움츠렸다.

그 모습이, 그 피가, 나를 단숨에 다시 악몽 속으로 끌고 갔다.

『자, 돌아가요. 외출은 할 만큼 했죠?』

음성만은 상냥하게 말하며 동생은 내 손목을 세게 잡았다.

몇 분 전의 나였다면 순종적으로 따르는 것 외에는 생각도 못 했으리라.

하지만 이때의 나는— 동생이 없는 세계를 떠올린 나는.

—싫어.

그런 고약한 악몽 같은 매일은.

친했을 터인 사람들이 죽는 걸 방관하는 나날은.

내가 얼마나 무력하고 비겁하고 아무것도 못 하고 쓰레기 같은지 직시하게 되는 건, 더는…… 더는, 더는, 더는,

더는, 더는, 더는……!!

그때— 그야말로 천행이었다.

바로 옆에 있는 도로로 트럭이 달려왔다.

—할 수밖에 없다.

이 악마에게 한 방 먹일 수 있는 건 지금뿐이다.

겁쟁이인 자신과 결별할 수 있는 건 지금뿐이다.

이 악마를 끝낼 수 있는 건— 지금뿐이다!!

나는 동생을 힘껏 밀쳤다.

피를 나눈 친동생.

같은 집에 태어나 서로서로 도우며 자란 하나뿐인 동생.

—상관없다.

이제는 그저 나한테서 모든 것을 빼앗은 악마(몬스터)다.

동생의 몸이 거대한 트럭 앞으로 떠밀렸다.

요란한 경적에 온몸이 떨렸다.

이로써 끝난다.

악몽에서 마침내 깰 수 있다…….

그렇게 안도했다.

—동생이 내 손목을 아직 놓지 않았음을 깨닫는 건 순식간이었다.

『같이—.』

동생은 웃고 있었다.

기쁘게 웃고 있었다.

나는 동생을 따라 도로로 끌려갔다.

트럭의 거대한 몸체가 사납게 눈앞으로 육박했다.

—아아, 하지만.

이로써 누구의 비명도 더 이상 듣지 않아도 된다면야—.

그리고 충격이 모든 것을 날려 버렸다.

일어선 나를 나만이 안다

""""한 살 생일을 축하해요———!!""""

그런고로 한 살이 되었다.

생일자 자리에 앉은 나를 둘러싸고서 부모님과 사용인들이 총출동하여 야단법석이었다. 이쯤 되면 나는 상관없는 수준이었다.

"잭이 태어나고 벌써 1년인가……. 바로 엊그제 태어난 것 같은데 벌써 이렇게나 크다니……. 이 속도라면 머지않아 손주도 보겠어!"

"그건 너무 성급한 얘기예요, 여보. 그 전에 며느리부터 들여야죠."

아니, 그것도 성급한 얘기야, 엄마.

농담처럼 호화로운 이 생일 파티도 그렇고, 이 부부의 팔불출 같은 구석은 아들로서 굉장히 낯간지럽다.

"포스포드 씨네 집에도 올해 딸이 태어났다던데—."

"왕도 쪽에서는 오스틴 가문의 다섯째가 여자아이라고—."

약혼자 후보를 진지하게 거론하는 부모님을 내버려 두고, 나는 눈앞의 매시트포테이토를 작은 숟가락으로 푹 퍼서 입에 넣고 우물우물 씹었다. 최근 들어 마침내 이유식에서 해방되기 시작했다.

"잭 님, 입에 묻었어요."

보모 역할인 아넬리가 내 입가를 쓱쓱 닦았다. 나도 완전히 익숙해져서 가만히 있었다.

감사의 의미로 아넬리의 검지를 꼭 잡자 아넬리도 부드럽게 미소 지었다. 그 표정이 얼마나 자상한지 엄마보다 더하면 더했지 못하지는 않았다.

"아넬리. 너도 1년간 잭을 잘 돌봐 줬어."

아빠가 흐뭇한 표정으로 말하자 아넬리는 손을 내저으며 황송해했다.

"과, 과분한 말씀이에요……! 저는 대단한 일은 전혀……!"

"아뇨. 아넬리 덕분에 저도 남편도 편히 지낼 수 있었어요. 이 기회에 부모님을 한 번 뵈러 가는 건 어때요?"

"예……? 그, 그래도 되나요……?"

"네. 귀성비도 확실하게 챙겨 줄게요."

"감사합니다! ……하지만……."

아넬리는 다시 나를 보고 상냥하게 웃었다.

"……정말로, 힘들지 않았어요. 잭 님은…… 뭐랄까…… 제게도 소중한 분이라서요."

매끈한 손가락이 내 뺨을 살며시 만졌다. 간지러워서 나도 자연스럽게 웃었다.

"역시 내 아들, 보통이 아니야! 벌써 여자 꼬시는 법을 터득한 것 같아!"

"어머나……. 장래 여자를 울리는 남자가 되지 말아야 할 텐데요."

"괜찮아요! 제가 확실히 지켜볼 테니까요!"

아넬리가 당당히 선언하자 다시 한번 밝은 웃음소리가 터져 나왔다.

나도 지금만큼은 전부 잊고 그 따뜻한 목소리에 몸을 맡겼다…….

"자, 잭 님. 산책 시간이에요."

생일 파티가 끝나고 다음 날, 점심 무렵에 아넬리가 나를 침대에서 안아 들었다.

아넬리에게 안겨 저택 주위를 산책하는 것이 최근 일과였다. 내게는 얼마 없는 외출 기회라서 특히나 기대하는 시간 중 하나였다.

아넬리가 내 뺨을 콕콕 찌르고 후후 웃었다. 마음에 들었다니 다행이지만, 조금 부끄럽네요, 아넬리 씨.

저택을 나선 아넬리는 앞마당을 걸어가 문을 지났다.

저택 옆에는 활엽수가 우거진 숲이 펼쳐져 있었다. 옛날에는 들개나 멧돼지, 곰 같은 게 있어서 위험했다는 것 같지만, 지금은 나들이할 수 있을 만큼 한적한 숲이었다.

아넬리는 나를 안은 채 길을 따라 걸어가 그 숲으로 향했다.

"잭 님."

아넬리가 걸어가며 말했다.

"저…… 내일부터 가족끼리 오붓하게 지낼 생각이에요. 한참을…… 아주 오랫동안…… 얘기하지 못했거든요."

그 얼굴이 쓸쓸해 보였기에 나는 손을 뻗어 아넬리의 얼굴을 조물조물 만졌다.

"후후, 위로해 주시는 건가요? 잭 님은 정말로 여성을 대하는 게 능숙하시네요. 하지만 이제 괜찮아요. 왜냐하면 앞으로 줄곧 함께 있을 거니까요."

부모님은 아넬리가 가족을 보고 싶어 한다는 걸 꿰뚫어 본 걸까? 그렇다면 역시 대단하다고 할까, 전생의 나와 동년배라는 생각이 안 든다.

아케이드처럼 우거진 가지와 잎사귀 아래를, 나를 안은 아넬리가 걸어갔다.

바람이 불자 쏴아아 하고 나뭇잎 스치는 소리가 퍼졌다.

"바람이 기분 좋네요."

나뭇잎 사이로 드문드문 비쳐 드는 햇빛이 때때로 몸에 닿아서 따뜻했다.

반년간 경험한 바에 의하면 이 토지에는 뚜렷한 사계절이 있었다. 얼마 전까지 추웠으니 지금은 봄일 것이다. 내 생일은 겨울과 봄의 경계쯤이라는 말이 된다.

……큰일이다. 졸음이 오기 시작했다.

아기는 금세 졸려진다. 이게 꽤 성가셨다. 뭔가 생각하고 싶은 게 있어도 금세 사고가 흐지부지된다…….

"——♪."

콧노래가 들렸다.

휴가를 앞둬서 그런지 아넬리는 오늘 기분이 좋은 것 같았다.

그런데 이 멜로디…… 들은 적이 있는 것 같은데…… 대체 어디서……?

"——♪."

—나는 거실에 있었다.

여기는…… 그래.

전생의 우리 집이다.

아직 부모님도 살아 계셔서 평범하게 지내던 시절의…….

나는 동아리 활동을 끝내고 돌아온 참이었고, 에나멜 가방을 어깨에 메고 있었다.

부모님은 맞벌이를 하셔서 이 시간에 집에 있는 일은 거의 없었다. 그래서 저녁 준비는 늘 그 녀석의 역할이었다…….

『——♪.』

주방 쪽에서 콧노래가 들렸다.

식칼 소리가 리드미컬하게 탁탁탁 섞였다.

세일러복 위에 앞치마를 걸친 동생이 채소 써는 소리에 맞춰 흥얼거리고 있었다.

리듬을 따라 앞치마와 주름치마가 살랑살랑 흔들렸다…….

아직 아무것도 몰랐던 나는 그 모습이 귀여워서 미소 지었다.

그리고 그 끔찍함을 눈치채지 못한 채…… 동생의 등에 대고 물었다.

—기분이 되게 좋은가 보네. 그거 무슨 노래였지?

『알프스 일만척이요. 가사는 오리지널이지만요.』

—아니, 콧노래면 가사는 알 수 없잖아.

『후후. 언젠가 가사도 가르쳐 줄게요. 오빠한테만 특별히.』

그리고 경치가 그『언젠가』로 전환됐다.

커튼 쳐진 어두운 방.

닦아도 가시지 않을 만큼 벽과 바닥에 밴 피비린내.

바닥에 엎어져서 움직이지 못하는 나.

묶인 채 넘어진 여자 후배와—.

—그 오른쪽 눈에 T자형 코르크 따개를 박으려 하는 동생.

『♪ 쎄쎄쎄 노 요이요이요이 ♪』

『♪ 싹싹한 척 꼴값 떨며 알랑알랑 꼬리 친 ♪』

『♪ 천박한 걸레년을 자 죽여 볼까요 ♪』

『♪ 랄라랄라 랄랄랄라 ♪』

『♪ 랄라랄라 랄랄라 ♪』

『♪ 랄라랄라 랄랄랄라 ♪』

『♪ 랄랄랄랄라…… ♪』

…………!!

흠뻑 젖은 식은땀을 느끼고 나는 눈을 떴다.

의식은 또렷했다. 그런 꿈을 꿨으니 당연한가.

젠장……. 그 끔찍한 번안곡이 귓가에 아른거렸다. 알프스 일만척이라는 노래는 이 세계에 없을 텐데— 머릿속에서 여전히 멜로디가 울렸다.

그것으로부터 도망치듯 주위로 눈을 돌리고…… 어라? 하는 생각이 들었다.

……낯익은 경치가 아니었다.

숲속 오솔길인 건 틀림없었다. 하지만 나무들의 배치나 바위의 형태 등 자잘한 부분이 늘 다니는 산책 루트와 결정적으로 달랐다.

나는 아넬리의 얼굴을 올려다보았다.

아넬리는 여전히 노래하고 있었다.

"♪ 쎄쎄쎄 노 요이요이요이 ♪"

"♪ 이대로 쭉 가서 숲을 빠져나가면 ♪"

"♪ 나랑 오빠 둘만의 도원향— ♪"

……이건, ……환, 청……?

머릿속에 박힌 그 노래가…… 우연히 아넬리가 부르는 것처럼 들린—.

—아니. 틀렸다!

나는 정말로 줄곧 이 노래를 듣고 있었던 거다.

그래서 그런 꿈을 꾼 거다.

아넬리가 줄곧— 동생과 똑같은 노래를 불렀기에.

—가족끼리 오붓하게 지낼 생각이에요.

—한참을…… 아주 오랫동안…… 만나지 못했거든요.

어째서 그 말이 지금 생각나는 거지……?

아니, 나는 분명 알고 있다……. 진작 알아차렸다……!

그저 이해하기를 거부하고 있을 뿐이다. 떼쓰고 있을 뿐이다.

사실이 아니었으면 좋겠다고, 예전처럼 또 현실을 보지 않고 변명을 찾으면서……!!

—아주 오랫동안 만나지 못한 가족.

혹시.

그건.

"……일어났어요?"

아넬리가 내 얼굴을 들여다본 순간— 몸이 얼어붙는 공포가 전신으로 퍼졌다.

"마침내— 제대로 재회하게 됐네요."

머리를 트윈테일로 묶은 메이드는.

1년간 나를 돌봤던 아넬리는.

"15년 만이네요— **오빠**."

진심으로 행복한 듯 활짝 웃으며 그렇게 고했다.

나는 움직이지 못했다.

경악. 공포. 의문. 파도처럼 밀려드는 그런 감정들이 온몸을 옭아맸다.

이해할 수 없었다.

어떻게 된 건지 알 수 없었다.

너는— 아넬리는 내가 태어나기 전부터 그 저택에 있었을 텐데……?

그런데 어째서…… 어떻게……?!

리버 가문에 내가 태어날 것을 미리 알고 있었나……?

그리고 1년간 천연덕스럽게 보모 역할을 한 건가……?!

"후후…… 깜짝 놀라 줘서 고마워요, 오빠♥ 아기 오빠의 그 얼굴을 본 것만으로도 15년간을 보답받은 기분이에요!"

얘…… 얘기가 다르잖아……!!

도망치라고 했잖아. 숨으라고 했잖아. 따돌리라고 했잖아!

그래서 나는 그러려고 했어! 지금까지도 그랬고! 앞으로도!

그런데, 그런데…… 왜 처음부터 들킨 상태인 건데?!

처음부터 눈앞에 술래가 있는데 어떻게 숨바꼭질을 하라는 거야?!

"응? 『어째서?』 하고 묻는 얼굴이네요?"

아넬리는— 동생은 고개를 갸웃하고서 내 얼굴을 내려다 보았다.

"전생해서 얼굴도 이름도 바뀌었으니까 어지간해서는 오빠가 오빠인 줄 모를 거라고— 혹시 그렇게 **걱정했나요**? 그렇다면 서운해요! **고작 얼굴과 이름과 신분과 입장이 바뀐 것 정도로** 오빠를 못 알아볼 리가 없잖아요! 정말이지, 오빠는 아무리 세월이 흘러도 저를 어린애 취급한다니까요."

귀엽게 뾰로통한 표정을 지으며 천진난만하게 불만을 표명하는 동생 앞에서…… 나는 얼어붙어 아무 생각도 못 했다.

이해를— 포기했다.

그저 떠올렸다. ……그랬었지, 하고.

동생은 그랬었다. 이 생물은 그랬었다. 이 녀석에게 상식 따위 통하지 않는다. 적어도 내가 생각할 만한 것은 단 하나도!!

1년 전— 전지전능한 창조주인 신도 말할 수밖에 없었다.

도망치라고. 숨으라고. 따돌리라고.

나는 그 말을 좀 더 진지하게 받아들였어야 했다.

신조차 도망치게 만들었다는 사실을……!!

"저는 언제나 오빠 곁에 있어요."

동생은 황홀한 목소리로 선고했다.

"아플 때도, 건강할 때도, 비 오는 날도, 바람 부는 날도, 언제 어느 때든 오빠 곁에 있어요. 그러니까— 허튼 생각 말아요. 도망치겠다든가, 숨겠다든가, 따돌리겠다든가…….
설령 한순간의 미혹이더라도…… 그런 섭섭한 생각은 하지 말아요. 우리가 죽은 그 날처럼—."

……젠장. 젠장! 젠장! 젠장!!

나는 발버둥 쳤다.

끝없는 늪에서 빠져나오려는 것처럼. 강에 빠져 지푸라기를 잡는 것처럼.

하지만 소용없었다. 동생의 품에서 도망칠 수 없었다.

그야 당연했다. 지금 나는 겨우 한 살 먹은 유아— 아직 혼자서 걷지도 못하는 무력한 아기니까…….

"후후…… 한숨 더 자도 돼요. 일어나면 분명 도착해 있을 거예요."

……대체 어디에……?

"우리의 새집에."

마치 내 마음을 읽은 것처럼 동생은 생긋 웃었고—.

"이번에야말로 누구도 방해하지 않는 곳에서 단둘이 행복하게 사는 거예요."

—이상성의 탁류를 쏟아 냈다.

"아아…… 기대돼요……♥ 이쪽의 오빠는 어떻게 자랄까요? 아, 물론 근사해지겠지만, 여러 종류가 있잖아요. 귀여운 쪽일까요? 멋있는 쪽일까요? 근육질? 아니면 마른 체형? 전생의 오빠처럼 살~짝 근육이 있는 편이 취향이지만…… 후후, 망상이 멈추질 않아요! 하지만 자그마한 오빠도 귀여워서 멋져요. 동글동글하고 말랑말랑하고, 그야말로 사랑스러움의 화신이에요! 오빠와 비교하면 새끼 고양이나 치와와 같은 축생은 그저 털뭉치예요. 분명 저와 오빠의 아이도 지금의 오빠처럼 귀엽겠죠. 후후. 맞아요, 이번에야말로 만들 수 있어요! 전생에는 우리 둘 중 누군가에게 문제가 있었는지 5년이 지나도 생기지 않았지만, 이번에는 괜찮을 거예요! 짜증 나는 혈연 문제도 이제 없어요! 아무 염려 없이 아이 만들기에 힘쓸 수 있다는 거죠! 오빠는 남자아이를 갖고 싶어요, 여자아이를 갖고 싶어요? 아, 미안해요. 어리석은 질문이었네요. 남자아이랑 여자아이, 둘 다 만들면 되는데 말이에요! 태어나면 이름은 어떻게 지을까요? 일본풍? 아니면 이 세계에 맞춰서 서양풍? 어, 있잖아요, 실은 이것저것 생각해 둔 게 있어요. 이전 세계에 두고 왔지만, 아이의 이름 노트가 세 권이나 있었어요. 정말이에요! 여기 오고 나서도 많이 생각했어요. 3천 개 정도? 이렇게 많으면 의미가 없다고 저도 생각하지만요(웃음). 정할 때 다시 의견을 물어볼게요. 오빠가 생각한 이름이라면 제가 생각한 것보다 훨씬 멋질 테니까요! 아, 그리고 아이는 어떻게 키울까요? 남자아이든 여자아이든, 우리의 아이니까 당연히 예쁘고 멋지겠죠? 벌레가 꼬이지 않도록 밖에 내보내지 말아야겠어요! 쭉 집 안에서, 집 안에서만, 가족끼리 오붓하게 살아요! 아아— 오빠, 오빠, 오빠, 오빠, 오빠! 이제 놓지 않을 거예요. 이제 놓지 않을 거예요. 이제 놓지 않을 거예요. 이제 놓지 않을 거예요!! 쭉 함께 있어 주세요. 쭉 저랑 같이 지내요. 이제—『외출』 같은 건 하지 말아요. 만약 또 그러면, 또 저를 외톨이로 만들면, 정말 외로워서, 외로워서, 외로워서, 외로워서———————————.”

"—무슨 짓을 할지 모르니까요."

……이번에는…… 대체 몇 년이 될까……?

지난번에는 5년이나 이어졌던 악몽 같은 나날이—.

아기 때부터 시작해서, 대체, 몇 년이나……?

—빼앗긴다.

내 인생을…… 또, 동생에게.

모처럼 좋은 가족을 얻었는데. 부모님도, 민망할 만큼 팔불출이고……. 아이의 재능을 기뻐하며 아낌없이 키워 주려고 하고…….

사용인들도 총출동하여 첫 생일을 축하해 줬다. 귀족 가문의 이미지와는 동떨어진…… 아주 따뜻하고 안락한 가정이었다.

그리고— 아넬리도.

"……아, 아아아아아아……!!"

미성숙한 성대가 짓눌린 듯한 목소리를 냈다.

매일같이 책을 읽어 줬다. 무릎에 나를 앉히고 마치 진짜 엄마처럼. 내 뺨을 이따금 콕 찌르고서 행복하게 웃었고, 나도 따라서 뺨을 두드리면 간지럽다는 듯 웃는 귀엽고 상냥한 소녀였다.

그랬을 터다.

그랬을 텐데.

—오빠를 사랑해도 되는 건.

—눈이 있기 때문.

—제가 뽑아 줄게요.

어둠과 피로 얼룩진 5년간의 기억이 주마등처럼 스쳐 지나갔고—.

—눈앞에 있는 아넬리의 얼굴에 오버랩됐다.

……아아, 또다.

또 그때처럼.

또 그 나날처럼.

동생(이 녀석)은— 내게서 가까운 사람을 앗아 갔다……!!

그럴 순 없다.

더는, 그러지 못할 거다!!

나는 이번에야말로 내 인생을 살겠다.

성장하고, 일하고, 결혼해서, 아이를 키우고, 친한 사람들에게 둘러싸여 사는!

그런 흔해 빠진 스테레오 타입의 행복을, 이번에야말로 손에 넣을 거다……!!

그러니까—!!

"으—."

크게 숨을 들이마셔서.

작은 가슴에 공기와 투지를 모아—.

"—아아아아아아아아아아아아아아아아아아아아아아아

아아아아아아아아아아아아아아아아아아아아아아아

앙!!!!!!!!!!!!!!!!!"

구멍이 숭숭 뚫린 기억의 심연에서 간신히 건진 지식이 있었다.

인간은 들으면 불쾌해지는 주파수가 있다.

대표적인 것이 칠판 긁는 소리다. 누구든 인간이라면 듣는 순간 자동으로 몸을 움츠리게 되는, 약점이라고도 할 수 있는 소리.

그리고 실은— 아기의 울음소리에도 그 주파수가 섞여 있었다.

……울음소리야말로 아기가 자신을 지키는 유일한 수단이자 최강의 수단.

살면서 가장 연약한 시절에만 쓸 수 있는 천연 음향 폭탄이다—!!

"으아……?!"

동생의 팔이 아주 잠깐 느슨해졌다.

나는 그 틈을 놓치지 않았다. 힘껏 버둥거려 품속에서—탈출했다!

부유감이 온몸을 감쌌다. 땅이 급속도로 가까워졌다.

이대로 곤두박질치면 연약한 아기일 뿐인 나는 무사하지 못할 것이다.

하지만— 내게는 이것이 있다.

—해방하라, 【자립의 투익】!!

나를 옭아맨 무수한 투명 사슬이 순식간에 전부 풀렸다.

생물이라면— 형태를 가진 존재라면 누구든 저항할 수 없는 대지의 사슬. 그 옛날, 정령 〈안드레알푸스〉가 세상에 내린 그것으로부터 지금 일시적으로 해방되었다.

이제 나는 매이지 않는다. 중력에도— 너에게도!

몸이 둥실거리며 낙하를 멈췄고, 나는 동생의 다리를 힘껏 찼다.

무게를 잃은 나는 그 반동으로 우주 비행사처럼 이동하여 옆에 있는 풀숲에 돌격했다. 가지가 따끔따끔하게 닿아서 아팠지만 어떻게든 무사히 빠져나갔다.

거리를 벌리자! 일단 어쨌든 거리를……!

"……말했잖아요……."

일찍이 동생이었던 이의 목소리가 뒤쫓아왔다.

"무슨 짓을 할지 모른다고— 말했잖아아아아아아아아아아아아아아아아아아아아아아아!!!!!!"

충분히 거리를 둔 후 별로 눈에 띄지 않는 곳에 착지한 나는 아기답지 않은 거친 숨을 내쉬었다.

이렇게 오랫동안— 심지어 격하게 운동하며 부유한 건 처음이었다. 그래서 그런지 전에 없이 많은 체력을 소모했다. 정령술을 쓰고 피로를 느낀 적은 이제껏 없었지만, 아무래도 진심으로 쓰면 상응하는 체력을 소비하는 모양이다.

아빠가 말한 대로 내 정령술 실력이 천재적이더라도 체력은 아기 수준일 뿐이다. 정령술이 처음 발현됐을 때보다 체중이 늘은지라 부유 이동도 상당히 부담스러워진 것 같았다.

호흡이 차분해졌다. 최대 체력이 적은 만큼 회복도 빨랐다.

이제 어쩌지? 이대로 도망칠까? 저택으로 돌아가는 게 현명한 선택일까?

……아니, 틀렸다. 생각 안 나?

동생은 내 눈앞에서 나와 연이 있는 인간을 차례차례 고문하고 죽였다. 이번엔 안 그럴 거라고 어떻게 장담하는가.

쓰러뜨리는 거다.

동생이란 이름의 그 괴물에게, 다름 아닌 내가, 맞서서—.

"……!!"

온몸이 덜덜 떨렸다.

공포라는 이름의 사슬이 어디선가 솟아나 내 심장을 옥죘다.

다 큰 어른이었을 때도 속수무책이었다.

그랬는데— 아기의 몸으로 뭘 할 수 있을까?

뭘 잡지 않고서는 일어서지도 못하는 미숙하기 짝이 없

는 이 몸으로.

나는 근처에 있던 돌멩이를 별생각 없이 건드렸다.

그리고 부유시켰다. 중력에서 분리하여 둥실둥실.

【자립의 투익】.

뭘 할 수 있느냐고 묻는다면— 이걸 할 수 있다.

……그래, 결심했잖아.

정령술이 발현됐을 때— 이 재능으로 세상과 사람들을 지키겠다고.

예정보다 그때가 다소 빨리 왔다지만 그게 무슨 대수인가.

이 순간을 위해 하나뿐인 이 무기를 연마하지 않았던가……!!

나는 무릎에 힘을 줬다.

작은 발로 대지를 디뎠다.

뺏는가, 빼앗기는가— 이건 나와 그 녀석의 생존 투쟁이다.

내 인생도, 내 소중한 사람의 생명도.

두 번 다시— 동생이 멋대로 뺏어 가게 두지 않겠다.

—그 기념할 만한 순간을 보고 있던 것은 단 한 명, 나뿐이었다.

잭 리버가 난생처음 자신의 힘으로 일어난 순간을—.

—오직 나만이 깊은 숲속에서 목격했다.

이리하여 내 인생이 시작되었다

"오~빠~? 어~디~ 있~어~요~?"

나무들 너머에서 악마의 목소리가 들렸다.

나는 이 나무에서 저 나무로 뛰듯이 거리를 벌리며 전술을 검토했다.

【자립의 투익】으로 공격하려면 수단은 두 가지뿐이다.

뭔가를 던지거나, 뭔가를 떨어뜨리거나.

가장 먼저 떠오른 것은 무거운 돌을 띄워 동생에게 던지고 격돌하는 순간 무게를 되돌리는 방법이었다.

하지만 아기의 몸으로는 힘에 한계가 있었다. 위력은 돌의 무게로 메꾸더라도 속도가 나오지 않는다. 간단히 피할 것이 눈에 보였다.

무엇보다 내 시력이 문제였다.

만 1세인 내 시력은 아무리 좋게 봐도 0.1 정도밖에 안 됐다. 지금도 시야 전체가 뿌예서 거리를 잘못 가늠해 빈번히 나무줄기와 격돌했다. 이런 시력으로 정확한 투석은 바랄 수 없다.

즉, 내 공격 수단은 무거운 물체를 떨어뜨리는 것으로 한정되었다.

……사실 더 간단한 방법이 있긴 했다.

아예 동생을 하늘 높이 띄워서 추락사시키는 거다.

하지만 장소가 안 좋았다. 이곳은 활엽수가 우거진 숲이다. 나뭇가지와 이파리가 두툼하게 포개져 천장을 만들고 있었다. 체중을 빼앗긴 인간은 저 정도 지붕에도 간단히 걸려 버린다.

"오~빠~! 얼른 나와요~! 화내지 않을게요~!"

목소리는 멀었다. 아직 거리가 있다. 공격할 거면 지금인가.

"정말이에요~! 정말로 화나지 않았어요~! 제가 오해했던 거죠? 오빠는 저에게 오빠를 지킬 자격이 있는지 시험하고 있는 거죠? 오빠가 저한테서 도망치다니, 있을 수 없는 일이니까요!"

웃기지 마.

너는 전생에도 그랬다.

내가 뭘 하든, 자신이 뭘 하든, 전부 자기 좋을 대로 해석했다. 말을 들을 뿐 이야기는 듣지 않고, 전부 자기중심적인 논리로 비틀었다.

말로 서로를 이해하는 것은 옛날 옛적에 포기했다.

세상에는 원시적인 폭력으로만 상대할 수 있는 것이 존재한다.

그러니까—.

"오~빠~! 빨리 안 나오면—."

—치지지지직!

"—이렇게 할 거예요."

갑작스러웠다.

아기의 뿌연 시야 속에서, 내 옆에 있던 나무가 새빨간 화염에 휩싸였다.

나는 열풍을 맞고 부드러운 땅을 구르며 떠올렸다.

나만 정령술을 쓸 수 있는 게 아니다.

그리고 나는 알고 있다. 그녀의— 아넬리의 정령술을.

—불을 다루는 힘【여명의 등불】!

나무들이 잇따라 타올랐다. 원래 그런 모습이었던 것처럼 시뻘건 불기둥으로 모습을 바꿨다.

나뭇가지를 따라 불이 번지며 순식간에 연기가 숲을 채웠다. 키가 작은 덕분에 연기에 휩싸이진 않았지만 이건 위험하다……!

"자, 오빠, 이제 나올 수밖에 없게 됐네요? 얼른 안 나오면 화상을 입을 거예요~ 정령술을 써서 하늘로 도망치는 것도 연기 때문에 불가능하고— 그리고 이대로 내버려 두면 저택까지 불이 번질지도 몰라요~."

불길 너머에서 들려오는 목소리에 나는 아연실색했다.

한 번 행동했을 뿐인데.

단 한 번의 행동으로, 어디 있는지도 모를 나에게 세 가지 공격을 가했다……!

"자, 얼른 나와요! 봐주지 않을 거예요. 상대는 비할 데 없는 궁극적 존재이자 천하무적인 오빠니까요! 이 정도로 죽을 리가 없죠!"

—치지지지직!

연속으로 혀를 차는 것 같은 기묘한 소리가 들렸다.

직후, 불길과 떨어져 있었을 터인 나무가 혼자서 타올랐다.

이건 뭐야……?!

내가 아는 아넬리는 손가락에 라이터 같은 작은 불을 만들어 내는 것밖에 못 했다. 능력을 실제보다 약하게 보여줬던 거라고 해도, 멀리 떨어져 있는 나무를 콕 집어서 태우다니— 대체 어떻게? 조준은 또 어떻게 했고?!

정령술이 발현된 지 불과 3개월밖에 안 된 나는 저 녀석이 어떤 메커니즘으로 불을 다루는지 상상도 안 갔다. 이게 바로 전생의 기억을 가지고서 15년이나 새로운 인생을 산 성과인가? 이런 반칙을 이겨야 하는 거야? 고작 한 살인 이 몸으로……!

나는 불길 사이를 누비며 동생의 목소리가 들린 곳으로 향했다.

아무튼 이 이상 숲을 태우게 할 수는 없었다. 저택에, 엄마에게, 아빠에게, 저 악마가 손을 뻗치게 둘 수는 없었다.

이제 그만두자.

아무것도 안 하고서 포기하는 건— 소중한 사람이 죽도

록 내버려 두는 건!

벌겋게 타오르는 불길 속에서 메이드복을 입은 사람을 발견했다.

숨을 멈추고 위쪽 연기로 돌격하여 나무 위를 이동했다.

그리고 메이드의— 동생의 머리 위에 자리를 잡았다.

무기는 준비해 뒀다.

내 머리통만 한 커다란 돌을 동생의 머리 위쪽에 올렸다…….

머리에 떨어지면 그걸로 끝. ……분명 동생은 죽을 것이다.

움츠리지 마. 망설이지 마.

이 악마는— 이제 나와 피조차 섞이지 않았으니까.

이 소녀는— 이제 제2의 엄마였던 아넬리가 아니니까.

돌에 걸었던 정령술을 풀었다.

대지의 사슬에 붙잡힌 돌이 동생을 향해 낙하했다.

이걸로 끝내는 거다. 전부 끝내고 시작하는 거다! 이 악마에게 빼앗겼던 내 인생을—!

"—말했잖아요, 오빠."

희번덕거리며.

악마의 눈이 나를 올려다보았다.

"오빠가 어디서 뭘 하는지— 설마 제가 모를 줄 알았어요?"

순간적으로 아무 생각도 들지 않았다.

시야가 뿌옇긴 해도 확실하게 포착한 그 광경을 당장은

이해할 수 없었다.

내가 떨어뜨린 돌이— 동생의 머리 바로 위에 멈춰 있었다.

마치 【자립의 투익】으로 부유시킨 것처럼—.

—치지지지직!

또 혀를 차는 듯한 소리가 들렸다.

발판으로 쓰던 가지에서 반사적으로 몸을 날린 순간, 그 나무가 불기둥이 되었다.

피부를 태우는 열풍을 맞으며 다른 나무줄기를 차고 숲 안쪽으로 이동했다. 도망쳐야 해. 일단 도망쳐야 해. 초조함에 사로잡히면서도 머릿속은 의문으로 가득했다.

어째서? 어째서 돌이 멈췄지? 혹시 저 녀석도 【자립의 투익】을 쓸 수 있나? 아니, 그럴 리가 없다. 정령술은 한 사람당 하나씩, 그게 대전제다! 그리고 저 녀석은 돌을 건드리지도 않았다……! 뭔가 방법이 있다. 다른 방법이!

—치지지지직!

또! 또 그 소리가 들린다! 이 소리가 들린 후에는 어김없이……!

발판으로 쓰려고 했던 전방의 나무가 세차게 타올랐다. 발이 탈 뻔했다. 황급히 정령술을 중지했다. 무게를 되찾고 땅을 데굴데굴 굴러 몸부림쳤다. 온몸이 아팠다.

도망치는 거다. 도망쳐! 숨고 따돌려……!

허우적거리며 손을 뻗어 땅을 잡았을 때였다. 움켜쥔 손에 흙 말고 다른 것이 섞여 있음을 깨달았다.

……뭐지……?

세세한 것은 가까이 가져와야 보였다. 나는 코앞까지 손을 가져왔고—.

—이물의 정체를 알아차린 순간, 모든 것을 이해했다.

흙에 섞인 가느다란 실 같은 것. 열을 받아 꼬불꼬불해진 밀크티색 물체.

그것은 아넬리의 머리카락이었다.

치지지지직 하는 소리와 눈앞에 있는 머리카락이 순식간에 연결되었다.

도화선.

혹시 저 녀석은 자기 머리카락을 도화선으로 써서 멀리 떨어져 있는 나무를 태우는 건가?

나는 아넬리가 【여명의 등불】로 불을 만들어서 보여 줬을 때를 떠올렸다. 손끝에 촛불처럼 켜졌던 포근한 불.

……손끝?

틀렸다. 떠올려라. 아넬리가 불을 피웠던 건 엄밀히 말해서 손끝이 아니라—.

손톱 끝!

—치지지지직!

아넬리의 머리카락으로 만들어진 도화선을 따라 불꽃이 이동하는 소리가 났다.

땅에 엎어진 나를 에워싸듯 화염벽이 타올랐다.

【자립의 투익】은 대부분의 대미지를 흘릴 수 있지만 불은 예외다. 달궈진 공기가 온몸을 덮었다. 끈적끈적하게 찰싹 붙어서 내 작은 몸을 붙잡았다…….

"오~빠♥."

유일한 탈출로인 위쪽에서 아넬리의 모습을 한 악마가 안을 들여다보았다.

"잡았~다♥ 이 정도면 합격인가요?"

……확실히, 잡혔다.

나는 이제 도망칠 수 없다. 트럭에 치였던 그때처럼.

—하지만.

살랑거리며…… 동생의 트윈테일이 나부꼈다.

"……바람?"

동생은 눈썹을 찌푸리고 의아해하며 바람이 불어오는 쪽을— 내 뒤쪽을 보았다.

"통풍이 잘 안되는 이런 숲속에서—?"

휘오오! 하고 돌풍이 불었다.

【자립의 투익】은 접촉한 것에만 쓸 수 있다.

그렇기에 만질 수 없는 것— 이를테면 공기의 무게를 없애기는 어려웠다.

하지만 지금은— 지금만큼은.

나를 에워싼 불꽃이, 그 열기가 끈적끈적하게 **내 몸에 닿아 있었다**.

나머지는 단순한 자연 현상이었다.

공기를 부유시키면— 즉, 기압을 낮추면 어떻게 될까?

바람이 분다.

기압이 높은 곳에서 낮은 쪽으로.

도중에 있는 화염벽을 지나며 대량의 불똥을 싣고서.

"——아."

동생은 물러나려고 했지만…… 이미 늦었다.

연소에는 세 가지 요소가 필요하다.

열원, 산소, 그리고 가연물. 산소는 공기 중에 갖춰져 있지만, 나머지 두 개를 직접 준비하지 않는다면【여명의 등불】은 성립되지 않는다.

즉,【여명의 등불】은 그저 불을 만들어 내는 정령술이 아닌 것이다.

불타지 않을 터인 손톱 끝이 타고, 단순한 머리카락이 도화선이 되는 이유.

—【여명의 등불】의 술자는 전신이 연료 덩어리다.

그리고 지금, 그 몸을 향해 불똥을 머금은 바람이 불었다—!!

"—아…… 아아아아아아아아—!!"

소녀의 몸이 맹렬히 타올랐다.

비명을 지르며 뒹구는 동생을 내버려 두고 나는 불 속에서 탈출했다. 불은 내 옷에도 옮겨붙었지만, 손으로 살짝 털자 금세 사라졌다.

하지만 동생을— 아넬리의 몸을 휘감은 불은 아무리 땅을 굴러도 꺼지지 않았다.

그 머리카락을, 그 피부를, 그 혈액을 연료로 끊임없이 타올랐다.

괴로워? 아파?

통감해라. 그 고통을 통감해라.

네가 죽인 사람들이 느낀 고통은 분명 그것보다 더했을 거다……!!

"……아, ……아아, 아, ……오, 빠……."

장작처럼 불타며 동생은 신음했다.

일찍이 오빠였던 자로서 마지막 말을 들어 주려고 했고.

"—이, 정도, 불로…… 내, 사랑, 은—!!"

나는 내가 얼마나 물러 터졌는지 깨달았다.

그리고 동생이 정상이 아니라는 걸 재인식했다.

동생은 불타는 와중에 오른손으로 자신의 왼쪽 손목을 잡았다. 펑 하고 아주 짧은 폭발음이 나는가 싶더니— 왼손이 빠졌다. 장난감 부품처럼.

내가 넋이 나가 있는 사이에 동생은 왼손을 가볍게 던졌다. 직후—.

—콰앙!! 시뻘건 불꽃이 순식간에 커졌다.

땅이 뜯겨 나가고, 나무뿌리가 위로 들리고, 동생도, 그리고 나도 휙 날아갔다.

나무에 부딪쳐 어지러운 가운데, 겨우겨우 얼굴을 들었다.

느릿느릿 일어나는 그림자가 있었다.

시뻘건 불길을 등지고서 새까만 그림자가 일어나 나를 내려다보았다.

불탄 메이드복이 흘러내리며 화상을 입어 짓무른 피부가 남김없이 드러났다. 머리끈이 불탔는지 트레이드마크였던 트윈테일도 풀려서 세찬 열풍에 휘날리고 있었다.

그 몸은 이제 타고 있지 않았다.

완전히 불이 꺼진 상태였다.

설마 날려 버린 건가. 불을, 폭발로……?!

"너무하잖아요, 오빠…… 모처럼, 예쁘게, 태어났는데…… 이렇게, 엉망이 돼 버렸어요……."

키득키득.

여자는 입꼬리를 올렸다. 사람을 잡아먹는 음란한 악마처럼.

"하지만, 괜찮죠……? 오빠는, 여자를 외모로 판단하지, 않으니까요……. 이런 저여도, 확실하게, 사랑해 주겠죠—!"

몸이, 움직이지 않았다.

이해를 넘어선 모습에 공포인지 두려움인지 모를 것이 전신을 지배했다.

무엇보다 무서운 것은— 믿고 싶지 않은 것은.

눈앞의 저것이 예전에 내 친동생이었다는 사실이었다.

"아하♥."

온몸에 화상을 입은 동생이 만신창이답지 않은 속도로 육박했다.

왼쪽 손목 아래로는 아무것도 없었다. 남은 오른손이 내 허리를 콱 움켜잡았다.

"이번에야말로…… 잡았다♥."

얼어붙은 몸을 필사적으로 채찍질하여 내 허리를 잡은 악마의 손에 접촉했다.

어, 없애……! 없애는 거야, 이 녀석의 무게를! 공중으로 데려가기면 하면…… 그러면! 데려가서 이 녀석을 떨어뜨리면 돼…… 그럼 끝이야……!!

"아아…… 오빠…… 오빠……♥."

끔찍한 울림을 지닌 목소리가 귀로 들어와 뇌에 스몄고…… 나는 내가 절망 속에 있음을 깨달았다.

사슬이 보였다.

흥분하여 촉촉해진 눈이, 상기된 뺨이, 불처럼 뜨거운 피부가, 달콤하게 녹아내린 목소리가— 보이지 않는 사슬이 되어 나라는 존재를 옭아매고 있음을 알 수 있었다.

지울 수 없다.

이 녀석은. 이 악마의 존재만큼은, 내 안에서.

"……아, 아아……."

나는 붙잡힌 것이다. 그 5년간, 완전히, 이 악마에게. 피비린내 나는 어둠 속에서 수없이 새겨진 상처가, 영혼을, 마음을, 밑바닥까지 침범해서…….

도망칠 수 없다.

전생 따위로는, 도망칠 수 없는 거다.

"……어라?"

동생이 내 가랑이에 코를 대고 냄새를 킁킁 맡았다.

"아이참, 정말이지 오빠는 어쩔 수 없네요. 기분 나쁘겠지만 조금만 기다려 주세요. ……늘 그랬듯이, 제가, 구석구석, 깨끗하게 닦아 줄 테니까요……♥."

진수성찬을 앞에 둔 것처럼 동생은 빨간 혀로 입술을 날름 핥았다.

고작 그 행동에 나는 고양이 앞에 쥐가 되었다.

아아…… 똑같다, 똑같아…… 그때와 똑같다…….

그때도 나는 아무것도 못 했다. 묶여 있지도 않았고, 구속되어 있지도 않았는데. 눈앞에서 친구와 지인이 차례차례 참살당하는데도 손가락 하나 까딱하지 못했다. 무서워서, 무서워서, 무섭고 무섭고 무서워서 움직이지 못했다.

똑같나. 결국 똑같은가. 이세계에 전생하고서도 똑같은

일을 되풀이하는 건가.

―웃기지 마!!

석 달간 뭘 위해 노력했는데! 뭘 위해 살았는데!

끊어 내기 위해서잖아……! 그때 내 몸을 옭아맸던 공포라는 사슬을! 이번에야말로! 내 힘으로 끊어 내기 위해서잖아!!!!!!

날아올라라.

자립할 때다.

눈에는 보이지 않는 투명한 날개로― 그 악몽의 5년간으로부터!!

―그때, 극채색 날개의 환영을 보았다.

“어?”

동생이 당혹스러워하며 발밑을 보았다.

흙이, 떠 있었다.

자잘한 알갱이 하나하나가 마치 물속에 있는 것처럼 둥실둥실 떠오르기 시작했다.

“땅이―.”

흙뿐만이 아니었다.

낙엽이. 나뭇가지가. 땅에 내린 뿌리가.

전부― 부유했다.

땅 자체가, 숲 자체가, 대지의 사슬에서 해방되어 일제히 하늘로 떠올랐다—!!

"말도 안 돼…… 이렇게 큰 질량을—!"

땅이 갈라지며 동생이 휘청거렸다.

직후, 떠오른 땅을 밀어 올리는 형태로 강렬한 상승 기류가 일어났다.

화상 때문에 악력이 약해졌는지 동생은 간단히 내 몸을 놓쳤고, 맹렬하게 올라가는 땅에서 넘어져 떨어졌다.

나는 무수한 바윗덩어리, 흙덩어리, 나무들과 함께 암반이 드러난 지상을 내려다보았다.

떠오른 숲을 거느린 나를 동생이 입을 벌리고서 올려다보고 있었다.

"……아아…… 아아……!"

불타 짓무른 입에서 감동한 목소리가 흘러나왔다.

"통상적인 정령술을 아득히 뛰어넘는 이 힘……! 세계 자체를 조종하는 듯한 이 힘……! 아아, 아아, 오빠—!!"

이 세계 사람들은 누구나 그 몸에 정령을 품고 있다.

하지만 그건 분령— 열화 카피에 불과하다. 본체는 단 하나뿐이다. 세상에 무수히 존재하는 사람들 중에서 『본령』은 단 한 명을 골라내 거처로 삼는다.

이름하여 『정령의 횃대(루스트)』.

세계 자체라고도 할 수 있는 일흔두 정령의 권능을 고스란히 행사하는 자.

—스테인드글라스 같은 극채색 날개가 하늘을 뒤덮듯 펼쳐졌다.

예술품처럼 우아한 자세로 나를— 그리고 세상을 내려다보는 거대한 공작 한 마리.

내 뒤에서 아지랑이처럼 일렁이는 그것이 바로 일흔두 정령 중 하나, 그 화신.

부여하는 힘은【자립의 투익】.

관장하는 개념은『자유』.

정령 서열 65위— 〈숭고한 이별의 안드레알푸스〉.

세계가 바뀐 듯한 느낌이 들었다. 부유시킨 돌과 흙, 나무들 하나하나가 내 손발이 된 느낌이었다.

정밀함도, 한도도, 모든 것이 상위 차원으로 전환됐다. 지금이라면 섬을 바다에서 띄울 수도 있을 것이다.

나는 부유시켜 지배하에 둔 숲에 사념으로 지령을 내렸다.

—떨어져라. 그리고 짓뭉개라.

〈숭고한 이별의 안드레알푸스〉의 권능으로 일시적으로 하늘에 우거졌던 숲이 대지의 사슬에 붙잡혀 일제히 낙하했다.

숲 입장에서 보면 그저 원래 장소로 돌아가는 거였다.

하지만— 지상에 있는 저 녀석에게는 융단 폭격이나 다름없었다.

충격과 굉음이 지상에서 잇따라 작렬했다. 하지만 공중에 떠 있는 내게는 흙먼지가 전혀 미치지 않았다.

도망칠 곳 따위 없다. 그렇게 생각하면서도 나는 분진에 휩싸인 지상을 주시했다. 괴물 같은 동생은 이 정도로는—.

콰앙!! 하고 강렬한 폭발이 분진 일부를 날렸다.

구형으로 부푼 시뻘건 불이 사라지기도 전에 그 안에서 한 여자가 폭풍을 타고 하늘로 날아올랐다……!

"아아, 오빠—♥ 나의……♥."

황홀한 표정의 그 여자에게는 오른쪽 발목 아래로 발이 없었다. 폭발로 불을 껐을 때처럼— 이번에는 오른발을 폭탄으로 바꿔서 로켓 분사용으로 쓴 건가!

비정상적인 수단이긴 해도 정확하게 육박한 동생은 질리지도 않고 나를 잡으려 했다.

그 오른손을 반대로 내가 잡았다.

이제 나는 너를 겁내지 않아.

지금 내 안에 있는 것은— 너라는 존재를 지우고 싶다는 분노뿐이다!!

"아."

체중을 잃은 동생을, 아기의 얼마 없는 근력으로 휘둘렀다.

루스트로 각성하여 정령술의 모든 성능을 해방하면서

【자립의 투익】의 유효 범위와 효과 시간은 현저히 늘었다.

즉, 원심력을 빌리면 이 악마를 우주 저편으로 날려 버릴 수도 있다!!

손을 놓은 순간, 동생은 미사일처럼 날아갔다. 이 세계에 우주가 있는지는 모르겠다. 어딘가에 천장이 있을지도 모른다. 하지만 어쨌든 살아날 수 없다! 구름보다 높은 곳에서 추락하고 살아남을 수 있는 생물 따위 없다!!

"매정하잖아요, 오빠……."

바야흐로 죽음의 세계로 떠나려 하는데도 동생은 희미하게 웃었다.

"아무리 쌀쌀맞게 굴어도— 제 마음은 조금도 변함없어요!!"

동생은 고양이처럼 자세를 휙 바꿨다. 머리를 땅 쪽으로, 발을 하늘 쪽으로. 그리고.

"둘, 셋— 봄버!!"

즐겁게 외치는가 싶더니— 오른쪽 정강이를 폭발시켰다.

"——?!"

터지는 불꽃과 피를 올려다보며 나는 아연해했다.

흡사 다단 로켓 같았다.

발을 잃고 무용지물이 된 오른쪽 다리를 한층 더 소비한 것이다. 낯빛 하나 바꾸지 않고— 오히려 기뻐하며! 그 충격으로 지상에 돌아가겠다는 단지 그 목적만을 위해!

완전히 예상외였다. 피할 수 있을 리가 없었다.

두 팔에 안겼다. 품속에 몸이 꽉 고정되어 꿈쩍도 할 수 없었다.

“오빠, 오빠, 오빠♥ 이번에야말로, 이번에야말로 잡았어요! 함께해요. 쭉 함께해요. 영원토록…….”

이래서는 체중을 없애도 뿌리칠 수 없다……! 기압 차로 바람을 일으켜서 고도를 올릴까? 아니, 그것도 위험하다. 높은 곳으로 급격히 이동함으로써 몸에 생기는 여러 가지 변화를 연약한 아기의 몸이 버티지는 못할 거다.

어딘가에 떨어질 수밖에 없다.

낙하의 충격을 이용하여 탈출할 수밖에 없다.

하지만 만약 땅에 떨어졌는데 이 여자가 나를 놓지 않는다면? 그럼 지옥이다……! 땅에 몸을 누른다면 어떤 끔찍한 짓을 해도 저항할 수 없다……!

좋은 장소 없을까. 유리해질 수 있는 장소가!

나는 구원을 바라며 몸을 틀고 땅을 둘러봤다.

활엽수 숲은 상상한 것보다 훨씬 넓었다. 늘 일정한 루트를 돌기만 했던 나에게는 대부분이 미지의 영역이었다. 하지만 그 장소는 바로 눈에 들어왔다.

저기다!

몸부림쳐서 방향을 조정하고, 무게를 없앴다가 되돌리며 거리를 조정했다.

불을 다루는 이 녀석을 상대로 가장 유리할 장소—.

어린아이도 아는 원리다. 불을 끄고 싶다면 어떻게 할 것인가. 불타고 싶지 않다면 어떻게 할 것인가. 소방관은 어떻게 화재를 진압하는가.

답은 하나.

물이다.

우리는 함께 폭포로 낙하했다.

첨버어어어엉!! 하는 소리와 함께 단단한 충격이 온몸을 때렸다.

동생도 힘이 느슨해졌다. 그 작은 빈틈을 놓치지 않고 물의 부력이 나를 잡았다.

악마의 손이 스르륵 풀어졌다. 물 밑을 내려다보니 집착심 넘치는 눈빛이 캄캄한 어둠 속으로 가라앉는 것이 보였다. 남은 손발은 하나씩. 수영 따위 불가능하다. 하지만—안심할 순 없다. 이 정도로 끝날 리가 없다!

어떻게든 물 밖으로 얼굴을 내밀고 허둥지둥 바위 쪽으로 몸을 던졌다.

몸은 무거웠고, 제대로 숨을 쉬고 있는지조차 의심스러웠다. 아기의 몸으로 겪기에는 힘든 일의 연속이었다. 이 이상 싸우는 건 이 작은 몸이 버티지 못할 것 같았다. 동생과 동반 자살이라니 사양이다. 트럭에 치였던 그때와는 다르다. 이번에야말로 나는 자유로워지겠다……!

쏴아아아— 하고 뒤로 물이 떨어졌다. 나는 폭포 뒤에 있던 암벽의 움푹 들어간 곳에 기어오른 듯했다.

—그런가. 여기라면……!

세찬 물보라를 일으키며 떨어지는 폭포로 살며시 손을 뻗었다. 차가운 물에 손끝이 닿은 직후. 물로 이루어진 커튼 반대편에 사람 실루엣이 불쑥 솟아났다.

"아하……♥ 과연……. 여기서는 제 몸이 축축해져서 큰 화력은 낼 수 없겠어요. 역시 오빠예요! 훌륭한 기지예요!"

흐르는 물 때문에 일그러져 보이는 그 몸에는 이제 왼손도 오른발도 없었다. 하나씩 남은 손발로는 이동도 마음대로 할 수 없을 것이다. 발이 닿는 얕은 곳까지 헤엄쳐 온 것만으로도 기적이었다.

즉, 회피도 불가능하다.

그리고 흠뻑 젖은 몸은 이제 연료가 되지 못한다!

나는 뒤에 있는 암벽에 손을 올렸다. 【자립의 투익】이 그 일부를 부유시켜 떼어 냈다.

바윗덩어리의 지름은 다 큰 어른보다도 컸다. 이 정도 크기라면 아기의 시력으로 대충 노려도 충분히 맞는다.

체크메이트다.

여기서 끝내겠다. 너의 속박으로부터— 지금 여기서 해

방되겠다!

나는 부유시킨 바윗덩어리를 배구공처럼 때렸다. 바윗덩어리는 고속으로 폭포를 뚫고 나가, 얕은 곳에 선 악마를 향해 날아갔다.

이렇게나 질량이 크니 스치기만 해도 치명상이다. 살아날 방법은 바위 자체를 폭파시켜서 해체하는 것뿐이다. 하지만 그 연료가 될 너의 몸은 물을 잔뜩 먹었다!

지금 너는 무력하다. 이전의 나처럼.

동생은 육박하는 바윗덩어리를 멍하니 바라보았다.

나는 저주받은 운명에 종지부를 찍기 위해 바위의 무게를 원래대로 되돌렸다.

무게를 되찾은 바윗덩어리가 소녀의 형상을 한 악마를 후려쳐—.

"—아아, 정말. 보기 흉해서 안 쓰려고 했는데."

퉤.

하고— 동생이 입에서 무언가를 날렸다.

무언가? 아니. 입에서 날릴 수 있는 거야 뻔하지 않은가!

그건 침.

즉, 체액이었다.

퍼엉!! 강렬한 폭발이 일순 폭포를 흐트러뜨렸다.

일격이었다. 아주 간단했다. 바윗덩어리는 산산이 조각나 수면에 부슬부슬 내렸다.

저런— 아주 약간의 침으로?

맙소사. 그게 가능하다면 폭발로 불을 껐을 때도, 융단 폭격 때도, 손발을 희생할 필요가 없었던 것 아닌가……!

"최악이에요. 최악의 기분이에요. 오빠 앞에서 침을 뱉다니…… 순진한 소녀가 해서는 안 되는 행위예요."

동생은 황홀하게 입꼬리를 올리며 폭포 너머에서 나를 바라보았다.

"뭐…… 오빠가 좋다고 한다면야 얼마든지 맞춰 주겠지만요♥."

……아아, 그랬지.

너에게 당연한 사고방식을 바란 내가 바보였다.

소녀의 모습을 한 괴물이 두 개뿐인 손발로 땅을 짚었다.

짐승 같았다. 오른손과 왼발만으로 물속을 질주하여 순식간에 폭포로 접근했다.

도망칠 곳은 없었다.

커튼처럼 눈앞을 가로막은 폭포를 악마의 손이 날카롭게 꿰뚫었다.

"잡았~다☆."

젖은 손가락이 뱀처럼 내 목을 휘감았다.

"오빠는 역시 굉장해요……! 한 살배기 몸으로, 전생자의 이점을 활용한 저와 이렇게까지 싸우다니! 오빠보다 뛰어난 인간은 이 세계에도 예전 세계에도 어느 세계에도 없어요!! 아아…… 그럼 당연한 거잖아요. 오빠라는 궁극을 아는 제가, 동생이라고 해서, 피가 섞였다고 해서, 어떻게 오빠를 사랑하지 않을 수 있겠어요? 그래서 저는 쟁취했어요! 노력하고 노력하고, 노력하고 노력하고 노력하고 노력해서— 도둑고양이를 한 마리도 남김없이 제거했어요!!"

그러니까, 하고.

일말의 의문도 없는 확신에 찬 웃음을 머금고서 동생은 고했다.

"—영원히 곁에 있어야 해요, 오빠."

폭포수가 전부 구형이 되어 부유했다.

"……흐에?"

동생이 웃는 얼굴로 굳었다.

그건 내가 기억하는 바로는 처음 보는 허를 찔린 표정이었다.

"폭포의, 무게를……? 뭐 하는—."

말이 끊겼다.

그리고 동생은 천천히…… 고개를 들었다.

마침내 눈치챘을 것이다.

마침내 발견했을 것이다.

—폭포 꼭대기에 대량으로 떠 있는 물구슬들을.

폭포는 흐른다. 끝없이. 잇따라 물이 떨어진다.

그래서 눈치채지 못했다. 내가 조금씩 조금씩 폭포수 일부를 부유시켜 하늘에 대기시키고 있음을 눈치채지 못했다. 폭포는 흐른다, 끝없이. 그래서 일부를 부유시켜도 눈에 보이는 수량은 변함없다.

바위를 던진 것은 더 확실히 하기 위한 미스디렉션이었다.

아니나 다를까 너는 방심했다. 내 공격은 전부 피했다고.

아니나 다를까 너는 간과했다. 내가 고체가 아닌 물질로 공격할 가능성을!

물.

이것이야말로 너를 끝장낼 필살의 단두대.

불로는 쏟아지는 물을 막을 수 없다.

"아—."

동생은 낯빛을 바꾸고 그 자리에서 벗어나려고 했지만 내가 그걸 가만히 두고 볼 리 없었다.

이번에는 내가 반대로 동생의 팔을 잡아 체중을 없앴다.

하나뿐인 다리가 허공에 떠올랐다. 대지를 떠난 인간은 이동할 자유를 잃는다.

발이 땅에 닿지 않게 된 동생은 나를 매단 채로 팔을 휘둘러 주위에 떠 있는 물구슬을 잡으려고 했다. 하지만 물구슬은 출렁거리며 튕겨 날아갈 뿐이었다.

퇴로는 이미 막혀 있었다. 내가 미리 폭포 전체를— 흐르는 물 모두를 부유시킨 것은 네가 떠내려가면 안 되니까. 치사량이 못 되는 어중간한 수량으로 너를 자유롭게 만들지 않도록 하기 위함이었다.

하지만…… 실제로 액체를 부유시키는 것은 고체를 부유시키는 것보다 어려웠다.

이미 나는 벅찼다. 이 정도 양의 물을 계속 띄우는 것은 루스트의 힘으로도 고됐다.

동생의 중력까지 계속 신경 쓸 여력이 없었다. 접촉하지 않으면 부유를 유지할 수 없었다.

그러니까— 만약 동생이 나를 놓는다면 체중이 원래대로 돌아올지도 몰랐다.

그럼 쏟아지는 물을 피할 수 있을지도 몰랐다.

살 수 있을지도 몰랐다.

—나를 놓기만 하면.

무중력의 사슬에 묶인 동생에게 나는 손가락 세 개를 세워서 보여 줬다.

3초, 유예를 줄 생각이었다.

용서받지 못할 짓을 했다고는 하지만 동생이다.

동생이기는 하지만— 아넬리다.

여기서 물러나 준다면…… 나도 그냥 넘어가 줄 수 있었다.

"오빠……."

그랬는데.

놓을 생각 따위 없어 보였다.

동생은 그저 황홀한 눈으로 나를 보고 있었다.

"오빠, 오빠, 오빠……!"

손가락을 하나 접었다.

두 개가 된 손가락을 동생은 거들떠보지도 않았다.

"사랑해요……! 사랑해요, 오빠! 세상에서 제가 가장— 세상에서 저만이 정말로 오빠를 사랑해요! 그러니까— 그러니까, 그러니까, 그러니까— 오빠도 저를—."

……아아, 그런가.

말했어야 했다. 확실하게.

남매라서 안 된다든가, 도덕적으로 안 된다든가, 법률 때문에 안 된다고 할 게 아니라.

확실하게— 내 마음을.

손가락을 하나 더 접었다.

그리고 반대쪽 손으로 동생의 팔을 잡아당겼다.

「아」 하고 헐떡이는 듯한 소리를 내며 동생의 얼굴이 지척으로 다가왔다.

그 이마에 세우고 있던 손가락을 올렸다.

그대로 글자를 썼다.

단 네 글자로 표현한 내 마음을.

『극』『구』『사』『절』

손가락으로 이마를 눌러 동생을 밀었다.
미안하다고— 일단은 예의상 생각했다.
—하지만.
나와 친한 사람을.
나와 가까운 사람을.
괴롭히고.
아프게 하고.
비명을 지르게 하고.
끝내 죽인 녀석을—.

—좋아할 수 있을 리가 없잖아!!!!

"—후후."
동생은 어째선지 웃었다.
"후후, 후후후, 후후후후후후후후후—!!"
그리고 나서…… 이렇게 말했다.

"——멋……져……♥."

……오빠는 이제 너를 모르겠다.
마지막 손가락을 접었다.
직후, 동생의 모습이 폭포 속으로 사라졌다.

마침내 동생의 손이 내 몸을 놓았다.

요란한 물소리가, 폭포 뒤에 생긴 작은 공간에 끝없이 울려 퍼졌다…….

잠시 쉰 후에 나는 폭포에서 시작되는 강의 하류로 이동했다.

그리고 크게 고생하지 않고 그것을 발견했다.

수면 밖으로 튀어나온 바위에 유목처럼 걸려 있는, 실오라기 하나 걸치지 않은 소녀를.

얼굴도 손발도 애처로운 화상으로 문드러져 있어서. 태어났을 때부터 나를 돌봐 줬던 소녀의 모습은 이제 찾아볼 수 없었다…….

한눈에 알 수 있었다. 그건 시체였다.

그래도 나는 신중을 기해 정령술로 다가가서 손목과 목의 맥을 짚었다.

……없었다. 손목에서도 목에서도…… 진동은 조금도 느껴지지 않았다.

나는 강가로 돌아가 축 늘어졌다.

……죽였다…….

아니, 아니다. —쓰러뜨렸다.

게임에서 보스를 쓰러뜨리는 것처럼…… 동생이라는 이

름의 괴물을 나는 마침내 쓰러뜨린 것이다.

……그런데 왜일까?

……왜 눈물이 나는 거지……?

"—아! 찾았다! 찾았어요! 여기예요!!"

멀리서 그런 목소리가 들렸다.

최후의 힘을 쥐어짜 목소리가 들린 곳을 보니 낯익은 하인과 부모님이 필사적으로 초목을 헤치며 이리로 달려오고 있었다.

다행이다……. 솔직히 돌아갈 힘은 남아 있지 않았다.

안심해서 그런지 의식이 급속도로 잠에 빠져들었다.

이로써 겨우 되찾았다. —동생에게 빼앗겼던 내 인생을.

그러니까 이번에야말로. 이번에야말로 끝까지 살겠다.

나의— 나만의 인생을.

어둠 속으로 의식이 가라앉는 가운데, 나는 강하게 결의했다.

……그리고 오랜만에 평온한 꿈을 꿨다.

보모 소녀와 즐겁게 지내는, 아주아주 행복한 꿈을.

〈결의의 유아기: 남매 전생편— THE END〉

—아아~ 당해 버렸다.

아무리 아기여도 오빠는 오빠인데— 내가 사랑하는, 나만이 사랑하는, 천하무적 최대최강 만부부당의 우주에서 제일 멋있는 오빠인데 깜빡 방심하고 말았다. 그러니까 이 결과는, 응, 당연하죠.

하지만 괜찮아요.

왜냐하면 오빠가 말을 걸어 줬는걸요. 목소리를 낸 게 아니라 손으로 써서 말한 거지만, 오빠가 말을 걸어 줬어요!

이게 몇 년 만일까요? 20년? 어쨌든 말을 걸어 줬어요, 오빠가! 그 사실에 비하면 말의 내용 같은 건 큰 문제가 아니에요!

뭐, 죽어 버린 건 큰 문제지만, 이것만큼은 어쩔 수 없죠. 이번에는 포기하기로 해요. 바로 털어 내고 **다음** 작전을 세우겠어요.

이번에 실패한 원인은 일찍 행동에 나섰기 때문일까요?

아기 오빠가 너무너무 귀여워서 준비도 제대로 하지 않고 행동해 버린 게 문제였을지도 몰라요.

좀 더 꼼꼼하게, 완벽하게, 인내에 인내를 거듭하고서—.

—서프라~이즈!

하고 놀라게 하는 건 어떨까요?

……응, 좋네요! 아주 멋져요!

이만큼 수고를 들여서 연출하면 살짝 둔감한 오빠도 분

명 제 사랑을 느낄 거예요!

조금 오래 참아야 할지도 모르지만…… 다소 장애물이 있는 편이 오히려 더 타오르는 법이죠!

그런고로 이번 인생은 여기까지.

또 새로운 인생에서 만나요!

고 투 넥스트 라이프!

바이바~이☆

〈TO BE CONTINUED TO— 황금의 소년기: 재능 태동편〉

인과는 증명한다. 그날, 그 만남의 숭고함을.

황금의 소년기: 재능 태동편

Even if you can escape with reincarnation, my brother?

운명의 날

—매미 소리가 들렸다.

쨍쨍 내리쬐는 햇볕이 창문 형태로 아파트 복도를 비추고 있었다. 복도의 창문은 작아서 들어오는 바람은 아주 적었다. 에어컨도 없기에 더워 죽을 것 같았다. 얼른 집에 들어가고 싶었지만, 부모님들은 한창 얘기 중이라 말을 걸 수가 없었다.

이사 인사? 인지 뭔지 모르겠지만, 우리도 있어야 하는 게 아니라면 들어가고 싶다.

동생이 내 옷자락을 잡아당겼다. 돌아보니 내 뒤에 숨어서 겁먹은 눈으로 뭔가를 보고 있었다.

시선을 따라갔다. 옆집에 이사 왔다는 어른들 뒤에서 여자아이 한 명이 우리를 보고 있었다. 뭐랄까, 장난감 가게에 있는 것 같은 눈이었다.

여자아이가 우리에게 쪼르르 다가와 살짝 이상한 말투로 말했다.

『—있지! 이름이 뭐야~?』

철렁했다. 음의 높이? 파동? 이 보통과 달랐다. 사투리, 였던가.

심장 떨림을 어떻게든 얼버무리면서 나는 여자아이에게

내 이름을 가르쳐 줬다.

그리고 동생을 가리키며 『이 녀석은—』 하고 말하려고 했다. 네 살 먹은 동생은 소심하여 나나 부모님을 제외한 다른 사람과는 제대로 얘기하지 못했다. 그래서 동생 대신 얘기하는 건 나에게 당연한 일이었다. —이때까지는.

『……××.』

나는 놀라서 돌아보았다.

동생이 스스로 이름을 말했다……. 태어나 처음 있는 일이었다.

여자아이는 『헤헤헤~』 하고 기쁘게 웃고서 동생의 얼굴을 들여다보았다.

『잘 부탁해, ××! 나는 말이지—.』

—그것은 닳아 해진 기억의 단편.

—악몽 저편으로 사라진, 행복했을 적의 추억.

◆

"더워……."

푹신푹신한 침대 위에서 나는 눈을 떴다.

자면서 발로 찼는지 이불이 침대 밑에 떨어져 있었다. 에어컨이 없는 생활에는 한참 전에 익숙해졌지만, 더운 건

더웠다.

자면서 흘린 땀이 불쾌해서 얼굴을 찌푸리며 일어났다.

항상 깨우러 오는 메이드는 아직 안 왔는지 커튼이 쳐져 있었다. 하지만 살인적인 고열 광선은 커튼을 뚫고 실내까지 들어왔다.

익숙한 여름의 햇살.

하지만 매미 소리만이 없었다.

"……꿈……."

아직 희미하게 머리 한편에 남아 있는— 이제는 멀고 눈부신, 따뜻한 기억이.

지금의 나는 그 아이의 이름조차 떠올릴 수 없었다.

전부 삭제되었다. ……악몽 같았던 그 5년간.

"……그만두자."

이미 결판이 났다. 지금으로부터 6년이나 전에.

침대에서 내려와 커튼을 열었다.

창밖에는 리버 백작령 다임쿠르드의 녹음 가득한 풍경이 한없이 펼쳐져 있었다.

나— 잭 리버는 일곱 살이 되어 있었다.

"음…… 음, 음, 음, 음……!"

신체 표면에 의식을 집중했다. 촉각으로 희미하게 전해

지는 공기의 흐름. 미풍조차 되지 못하는 그것을 포착하여 발에 걸치듯 박차고, 순간, 그 주위만—.

"으악?!"

전신을 부유시키던 힘이 갑자기 끊어졌다.

허우적거리며 떨어진 나를 부드러운 모래밭이 푹신하게 받아 줬다.

아프지는 않았지만 온몸이 모래투성이가 되었다. 입 안까지 까끌까끌했다.

"으엑…… 퉤! 젠장……."

나는 투덜거리며 방금 왜 실패했는지 원인을 생각했다. 부분별로 어떻게 구별해서 능력을 활성화하고 비활성화하는지가 문제지, 역시.

리버 저택 뒤편에는 나를 위한 작은 훈련장이 있었다.

모래밭, 바위산, 연못 등이 휑한 공간에 흩어져 있을 뿐인 곳이었다. 여기서 정령술을 훈련하는 것이 내 일과였다.

덧붙여 방금 한 것은 공중 도약— 속되게 말하자면 『2단 점프』 연습이었다.

【자립의 투익】에 의한 부유에는 특징이 있는데, 발동 시에 대상을 정지시킨다는 것이었다. 나는 하늘로 떠오를 때 무의식적으로 그걸 이용해서 몸에 닿는 바람을 정지시켰다. 안 그러면 바람에 떠밀려 가 버린다.

그렇다면. 발바닥에만 그걸 적용하지 않으면 바람을 발

판 삼아 공중에서 점프할 수 있지 않을까?

【자립의 투익】은 새가 아니라 풍선이 되는 힘이다. 그저 떠오를 뿐, 날 수는 없다. 그러니 하늘을 자유자재로 뛰어다니게 된다면 기술의 응용성이 훨씬 넓어질 테지만— 현재까지 내가 연속으로 성공한 기록은 고작 두 번이 다였다.

"하지만 이 정도도 못 하면 어림없겠지……."

열 살에 신동, 열다섯에 수재, 스물을 넘으면 보통 사람이라는 속담이 이전 세계에 있었지만, 이쪽 세계에서도 똑같았다.

조금 재능이 있다고 칭찬받을 수 있는 건 지금뿐이다. 체계적으로 기술을 단련하고 좋은 환경에서 실력을 쌓지 않는다면 전문적인 세계에서는 통하지 않는다.

타고난 재능에 안주하여 게으름을 피우다가 결국 범재로 남는다면 신도 전생시킨 보람이 없지 않겠는가.

그런고로 나의 현재 목표는 왕도 레이나디아에 있는 왕립 정령술 학원에 입학하는 것이었다. 정령술사(정령술을 전문적으로 다루는 직업의 총칭) 지망생들이 왕국 전체에서 모이는, 등용문 같은 교육 시설이었다.

나는 장래 아빠에게 이 영지를 물려받겠지만, 이 나라— 라에스 왕국의 귀족 사회에서는 정령술사로서의 명성이 강력한 권위가 된다.

특히 정령술 학원 졸업생이라는 학벌에는 일본식으로 말

하면 도쿄대 졸업생과 같은 막대한 파워가 있어서 그것만으로도 인정받는다고 했다.

사실 우리 아빠도 학원의 OB였다. 『학원 졸업생이 아니었다면 나 같은 방탕한 아들이 집안을 잇는 건 무리였겠지! 하하하!』라고 했다.

……아무래도 내가 태어나기 전에는 아주 마음대로 살았던 모양이다.

학원은 입학시험을 실시하지 않아서, 스카우트되거나 정령술사 길드 정회원에게 추천장을 받아야 들어갈 수 있었다. 나는 아빠의 연줄을 이용해 추천장을 받을 생각이다.

열 살 전에 일찌감치 입학한다면 학원 내에서 출세하는 것도 꿈이 아니다. 그래서 이렇게 독학으로나마 기술을 갈고닦고 있었다.

……보통은 어딘가 정령술 도장에 제자로 들어가서 그곳 사범에게 추천장을 받는다는 것 같지만.

"아침부터 열심히 훈련하는구나, 잭."

어떻게 하면 공중 도약이 안정될지 모래를 뒤집어쓴 채 끙끙거리고 있으니 저택 쪽에서 그런 목소리가 들렸다.

"아버지. 안녕히 주무셨어요."

"그래. 좋은 아침이야."

나의 부친, 칼럼 리버였다.

내가 태어난 지 벌써 7년. 원래부터 정한한 얼굴이기도

해서, 최근 들어 귀족 가문의 가주다운 위엄이 좀 생긴 것 같았다. ……으음~ 나도 장래에는 이런 느낌이 되는 걸까.

아빠는 모래투성이인 나를 보고 빙그레 웃었다.

“고전 중이야?”

“네, 뭐…… 가르쳐 주는 사람이 없는지라 암중모색하는 나날이에요.”

“하하하! 아들에게 야유를 듣고 말았군.”

내 정령술이 발현됐을 때 선언한 대로, 아빠는 온 힘을 다해 내 재능을 키워 주려고 했다. 연줄을 이용해 우수한 교사를 찾아서 닥치는 대로 내게 붙여 줬다.

하지만 안타깝게도— 그 교사들한테서 내가 배울 수 있었던 것은 하나뿐이었다.

바로— 〈안드레알푸스〉의 루스트라는 재능은 생각보다 더 엄청난 것인 모양이다, 라는 것.

교사들은 때로는 머리를 싸매고, 때로는 질투에 사로잡히며, 최종적으로는 하나같이 못 가르치겠다고 포기했다.

그래서 나는 결국 이렇게 독학으로 훈련할 수밖에 없었다.

내가 정말로 천재였다면 독학으로도 충분했겠지만…….

“미안하다. 좋은 교사를 찾아보고는 있는데…….”

“아뇨. 애초에 사람마다 천차만별인 정령술을 남에게 가르치는 것 자체가 어려운 일이니까요. 아버지나 선생님의 잘못은 아니에요.”

"하하하! 철이 다 들었네! 귀엽지 못하게!"

아빠가 쾌활하게 웃었다.

방금 꽤 건방진 소리를 한 것 같은데, 웃을 일인가?

아빠는 팔불출이지만, 그러면서도 나를 어린아이가 아니라 한 명의 인간으로 대등하게 대해 주는 면이 있었다.

아빠의 그런 공평한 부분을 나는 한 명의 인간으로서, 아이로서, 진심으로 존경한다.

"아버지, 찾아오신 용건은 뭔가요?"

"아, 그랬지, 참."

아빠가 웃는 걸 멈췄다.

"미안하지만 모래를 씻어 내고 바로 응접실로 오렴. 손님에게 너를 소개하고 싶어."

"손님……이요?"

"그래. 우리 가문과 옛날부터 친하게 지내는 상인이야. 네 얼굴도 익히게 해야지."

나는 리버 가문의 차기 가주다. 안면을 트는 것도 중요한 책무였다.

"그 정도 용건이라면 하인을 보내셔도 됐을 텐데요?"

"자잘하게 점수를 버는 거지. 나중에 자식에게 홀대당하지 않도록 말이야."

농담이겠지만, 정말 그런 거라면 너무 눈물 나는 얘기다……. 나도 아빠가 되면 그런 생각을 하는 걸까…….

"알겠습니다. 금방 갈게요."

"그래. 기다리고 있으마."

나는 모래투성이인 몸을 씻기 위해 저택으로 향했다.

저택에 돌아가자 메이드들이 야단스럽게 총출동하여 나를 욕실로 데려갔다.

이리저리 들볶이고 나니 머리끝부터 발끝까지 깨끗해졌다. 세차 받는 자동차가 된 기분이었다.

어째선지 저택의 젊은 메이드들은 나를 좋아했다.

만약 전생의 내가 지금의 나처럼 묘하게 어른스러운 아이와 만났다면 시건방진 꼬맹이라고만 생각했을 텐데, 메이드들 말로는『귀엽다』는 모양이다. 어느 세계에서나 여자의『귀엽다』는 잘 이해가 안 간다.

옷을 갈아입고 응접실로 가자 아빠 외에 또 한 명, 풍채 좋은 남성이 소파에 앉아 있었다.

"포스포드 씨, 소개하겠습니다. 아들 잭입니다. ……잭. 이쪽은 포스포드 상회의 회장, 체르노 포스포드 씨다. 인사하렴."

"처음 뵙겠습니다, 미스터 포스포드. 다임쿠르드 백작 리버 가문의 장남, 잭 리버입니다. 앞으로 잘 부탁드립니다."

내가 예의 바르게 인사하자 포스포드 씨는「호오~」하고

감탄하며 투실투실한 턱을 매만졌다.

“자제분이 예의 바르시군요. 부모님에게 교육을 참 잘 받았습니다.”

“아닙니다. 전혀 속을 썩이지 않아서 우리가 도움을 받고 있을 정도입니다.”

“허허허! 멋지군요. 제게도 잭 군과 동갑인 딸이 있지만 어떻게 손쓸 방도가 없는 말괄량이라…… 오늘도 소개해 드리려고 데려왔는데 잠깐 눈을 뗀 사이에 사라져 버렸습니다.”

“우리 고용인들이 보고 있으니 저택을 나가지는 않았을 겁니다.”

“죄송합니다. 제 딸이지만 신출귀몰하여서…….”

“그럼 제가 찾아서 얘기해 볼까요?”

나는 어른들의 대화에 그렇게 끼어들었다.

부모들의 이야기를 듣는 게 딱히 싫지는 않았다. 하지만 여기서 장식품처럼 앉아 있는 것보다는 자녀와 친해지는 편이 훨씬 인상이 좋아질 것이다.

포스포드 씨는 넉넉한 턱살을 흔들며 「허허!」 하고 웃었다.

“그거 좋군요! 잭 군의 영향을 조금이나마 받는다면 필리네도 조금은 차분해질 겁니다.”

“포스포드 씨가 그렇게 말씀하신다면야— 잭, 미안하지만 부탁할 수 있을까?”

"미안해하시지 않아도 돼요, 아버지. 여자아이와 같이 놀면 된다니, 이렇게 명예로운 일은 없으니까요."

장난스럽게 말하자 포스포드 씨는「허허허!」하고 즐겁게 웃었다.

성공이군, 성공이야. 아빠가 말하길, 귀족 사회에서는 유머도 필수라고 했다.

인사하고 응접실을 나왔다.

나는 복도를 걸어가며 생각했다.

아이가 관심을 가질 만한 곳이 어디일까?

아이에게 남의 집은 던전 같은 곳이니 말이지. 그것도 이토록 큰 저택이라면 탐색하고 싶은 곳이 수두룩할 것이다. 따님과 만나기 전에 작은 숨바꼭질을 해야 할 것 같다.

일단 하인들에게 수소문해 봤다.

"아! 혹시 빨래 속에 숨어 있던 아이일까요?"

"여자아이라면 봤어요! 선배 뒤에서 이상한 표정을 지어서, 혼나는 중이었는데도 웃어 버렸어요……."

"아아, 그 아가씨요? 준비 중이던 하인들용 음식을 집어 먹고 갔어요. ……아뇨, 걱정하지 않으셔도 돼요. 원래 남은 음식이니까요."

……아무래도 상상한 것보다 더 말괄량이인 모양이다.

목격 증언을 토대로 수색해 봤지만 결국 저택 안에서는 찾지 못했다.

밖에 나갔나? 그렇게 생각하고 현관문을 열었다.

그러자 문 앞에 사람이 서 있었다.

2인조였는데, 한 명은 젊은 남자였다.

아이의 눈에 자신보다 나이 많은 사람은 전부 커 보인다. 그래서 내 눈에 그 남자는 10대 후반으로도 보였고, 20대처럼도 보였다. 하지만 30대 이상은 아닐 것이다.

다른 한 명은 후드를 깊이 눌러써서 얼굴을 가리고 있었다.

세상에는 다쳤다든가 종교상의 이유 등으로 민낯을 드러낼 수 없는 사람이 있다. 그러니 그런 사람을 보더라도 함부로 언급하지 않는 것이 매너라고, 두 번째 가정 교사가 말했던 것이 떠올랐다.

갑자기 문이 열려서 깜짝 놀랐는지 2인조는 나를 빤히 바라보고 있었다. 한쪽은 눈이 안 보이지만.

뭔가 미심쩍은데. 문지기가 들여보냈으니 수상한 사람은 아닐 테지만.

"저기…… 손님이신가요?"

"마, 맞아……. 너희 부모님과 약속을 잡고 왔어."

"아버지는 지금 다른 손님을 응대하고 계신데…… 으음, 성함이—."

이름을 묻기 전에 뒤에서 부드러운 목소리가 끼어들었다.

"—아아, 괜찮아, 잭. 그쪽은 내 손님이야."

나의 모친— 매들린 리버였다.

나를 낳고 7년이 지났지만, 완만하게 퍼진 흑발은 여전히 윤기가 흐르며 소녀 같은 천진난만함을 유지하고 있었다.

그도 그럴 것이 나를 출산했을 때 엄마는 아직 17세였다는 모양이다. 그래서 지금은 24세였다. 젊어 보이는 게 아니라 실제로 젊었다.

엄마는 부드럽게 미소 지으며 현관에 선 2인조에게 다가왔다.

"잘 오셨어요. 부인도 들어오세요."

"……네."

후드를 쓴 사람이 처음으로 목소리를 냈다.

어리네. 10대 소녀의 목소리였다.

부인이라고 했는데, 역시 그 정도 나이에 결혼하는 것이 당연한 걸까. 엄마도 그랬고. 나도 장래에 10대 소녀를 아내로 맞이하게 될지도 모른다.

그나저나 엄마에게 손님이라니 별일이네. 엄마는 백작 부인이지만 귀족 출신이 아닌 모양이라 그런 교류도 적은 편이었다.

한층 더 2인조가 신경 쓰였지만, 내가 뭔가를 하기도 전에 엄마가 말했다.

"들었어, 잭. 포스포드 아가씨를 찾고 있다며?"

"아, 네. 저택 안에서는 못 찾아서 잠깐 밖을 보고 올까 해요."

"조심히 다녀오렴. 너무 멀리 가지는 말고."

"네."

6년 전— 내가 한 살이었을 때 부모님에게 큰 걱정을 끼치고 말았다. 그래서 이럴 때 나는 순순히 고개를 끄덕였다.

2인조와 교대하듯 밖으로 나왔다. 엄마의 손님이라는 두 사람에게는 가볍게 인사만 해 뒀다. 어떤 관계일까?

고개를 갸웃하면서도 나는 의식을 전환했다. 지금은 포스포드 양을 찾는 게 먼저다.

일단 현관에서 정면으로 직진하여 문지기에게 물어봤지만 못 봤다고 했다.

역시 부지에서 나가지는 않았나?

부지 내에서 아이가 좋아할 만한 곳이라면…… 내 훈련장?

일단 가 보려고 걷기 시작했을 때, 야생 토끼가 눈앞을 가로질렀다. 희한하네. 숲속에서라면 자주 보지만, 이곳은 울타리가 있어서 들어오지 못할 텐데…….

"뭐야? 너 어디로 들어왔어?"

잡아서 물어봤지만 당연히 토끼가 말할 리 없었다. 대체 어디로 들어왔지…… 하고 토끼가 달려온 방향을 보니.

"……아."

수풀에 가려져 있어서 알기 어렵지만, 숲과 면한 울타리에 구멍이 나 있었다.

……설마.

포스포드 아가씨가 저리로 나가지는 않았겠지?

훈련장에서도 찾지 못했기에 예의 그 구멍으로 나갈 수 밖에 없었다.

울타리 밖에는 활엽수가 우거진 숲이 있었다.

6년 전, 아넬리가— 동생이 불을 지르고, 내가 뿌리째 파냈던 숲이다.

당시의 상흔이 아직 조금 남아 있지만, 여전히 사람이 많이 다니는 고즈넉한 숲이었다. 들개 같은 위험한 동물은 별로 없지만, 만일의 경우도 있으니까…… 찾지 않을 수 없었다.

"이봐~! ……으음…… 필리네 양?"

분명 포스포드 씨가 그렇게 불렀다.

필리네. 필리네 포스포드.

몇 번이고 불러 봤지만 나뭇잎 스치는 소리만 돌아올 뿐이었다.

숲에 들어왔더라도 안쪽까지 가지는 않았을 텐데……. 한동안 찾다가 다시 저택에 돌아가 볼까?

그렇게 생각하기 시작했을 때였다.

근처에 있던 나무가 갑자기 바스락거리며 흔들렸다.

"—꺄아아아아아아아아아아아악!!"

그리고 그 직후에 나뭇가지 사이에서 여자아이가 떨어졌다.

여자아이가, 떨어졌다.

……하아아아?!

반사적이었다. 땅을 박찼다! 떨어지는 여자아이가 땅과 가까워지고. 가까워지고. 가까워졌다. 나는 팔을 뻗고. 뻗고. 뻗었다. 받을 수 있을까?! 뻗는다!

—손끝.

어깨.

닿았다!

【자립의 투익】!

정령 서열 65위 〈숭고한 이별의 안드레알푸스〉의 힘이 여자아이를 중력으로부터 해방했다. 그러면서 여자아이는 둥실둥실 부유하여 땅과의 격돌을 면했다.

"……오? 오? 오~?"

여자아이는 눈을 깜빡이며 신기하다는 듯 자신의 몸을 둘러봤다. 공중에서 빙글빙글 몸을 돌리고 즐겁게 까르르 웃었다.

한편 나는 크게 한숨을 푹 쉬었다.

"……위, 위험했어……."

방금 큰일 날 뻔했다고. 마침 내가 있었으니 망정이지…….

「아~!」하고 여자아이가 외쳤다. 이제야 내 존재를 알아차린 모양이다. 아이는 둥실둥실 뜬 채로 말했다.

"이거, 네가 한 거야?! 굉장하다! 재밌어~! 이거 봐, 둥실둥실~!"

"잠깐! 너무 움직이면—."

"—으아? 으아아아아아아아!"

아니나 다를까, 균형을 잃은 여자아이는 철봉으로 뒤돌기를 하듯 몸이 거꾸로 뒤집혔고.

—쿵!

머리를 찧었다.

……아아~ 저질렀다. 익숙해지기 전에는 자주 있는 일이다. 나도 옛날에 그랬다.

"끄오오오오오오오."

여자아이는 머리를 부여잡고서 정숙함이라고는 찾아볼 수 없는 걸걸한 목소리로 신음했다.

아무튼 또 찧을 수도 있기에 정령술을 풀어 소녀를 땅에 내렸다.

"……괜찮아?"

"괘, 괜찮아……."

눈가에 눈물이 맺혀 있는데요……. 뭐, 빽빽 울지 않는 것만으로도 대견했다.

갈색 머리를 짧게 자른 여자아이는 틀림없이 내 또래로

보였다. 즉, 예닐곱 살이다. 그 나이대의 아이가 땅에 머리를 세게 찧으면 보통은 낭랑히 울어 젖힐 것이다.

아마도 아픔에 익숙한 거겠지. 그만큼 말괄량이인 거다. 그렇다면…….

"……네가 필리네?"

"응? 맞아. 어떻게 알았어?"

……역시나.

"나는 리버 가문의 아이야. 저택에 네가 없어서 찾으러 왔어."

"흐에~? 나를 찾으러? 왜?"

"왜냐니…… 숲에 혼자 들어오면 위험하잖아."

"그래? 왜?"

진심으로 의아한 듯 필리네가 어리둥절해하며 고개를 갸웃했다.

아무래도 이 아이의 사전에는 『위험성』이라는 세 글자가 없는 모양이다. 과연…… 포스포드 씨가 애먹을 만했다.

"음~ 뭐, 상관없나!"

금세 흥미를 잃고 그렇게 말한 필리네가 벌떡 일어났다.

"있지, 같이 놀자! 아까 저쪽에 넓은 들판이 보였어!"

"뭐? 아니, 일단 저택에 돌아—."

"얼른 가자!"

필리네는 반론을 허락하지 않고 내 손을 쭉쭉 잡아당겼다.

나는 하는 수 없이 끌려가면서 어딘가 그리운 기분을 느꼈다.

"아, 맞다."

밤색 머리를 나부끼며.

나를 돌아본 여자아이의 얼굴이.

옛 소꿉친구와— 겹쳐 보였다.

"있지! 이름이 뭐야~?"

매미 소리가 들리지 않는 일곱 살의 여름날.

나는 필리네 포스포드와 만났다.

"재 군?"

"기억이 빠졌어."

"기억재 군?"

"잭! 잭 리버!"

"잭…… 군?"

"그래그래, 그거."

"알았어! 어어…… 지 군!"

머리글자만 남았잖아!

나는 한숨을 쉬었다.

"됐다. 그냥 지 군이라고 해……."

"에헤헤~ 지 군♪ 지 군♪."

뭔가 그리 즐거운지 필리네는 그렇게 연호하며 신나게 걸었다.

나는 그런 소녀에게 포로처럼 끌려갔다.

……역시 일단 돌아가고 싶은데.

이 아이, 뭔가 큰일에 말려들 것 같단 말이야.

"저기…… 필리네."

"아, 필이라고 불러도 돼. 다들 그렇게 부르니까."

"아…… 그럼 필."

뭔가 민망하다. 여자아이를 애칭으로 부르는 건 처음이었다.

"나는 일단 저택에 돌아가고 싶어. 너희 아빠도 걱정할 거야."

"그렇지~ 점심시간에는 돌아가고 싶어!"

"아니, 그게 아니라."

지금 당장 돌아가고 싶다고!

그렇게 말하기 전에 숲을 빠져나왔다.

「우와~!」 하고 필이 외쳤다.

아까 필이 말한 대로 너른 들판이 있었다.

고개를 드니 지붕처럼 덮고 있던 가지와 잎이 사라져 푸른 하늘이 드높이 펼쳐져 있었다. 이런 곳이 있었구나…….

몰랐다.

"우와~! 우와~! 넓어~!"

바람이 불어와 풀들이 물결쳤다.

그것과 경쟁하듯 필이 내 팔을 놓고 달려갔다.

"아, 야!"

뭐 이렇게 산만한 녀석이 다 있담! 나는 필을 쫓아갔다.

필은 때때로 폴짝 뛰거나 「여기야, 여기!」 하고 돌아보며 상당한 속도로 달려갔다. 아~ 진짜! 저렇게 뛰면—.

"—으악?!"

거봐, 넘어졌어.

내가 따라잡자 필은 「아야야……」 하고 이마를 부여잡으며 몸을 일으켰다. 얼굴부터 박은 거냐. 낙법을 취해.

"괜찮아?"

"응. 뭔가 발에 걸려서—."

발에?

필의 발 근처로 눈을 돌렸다가 가슴이 철렁 내려앉았다.

발이, 있었기 때문이다.

필의 발이 아니었다. 다른 사람의 발이 그루터기 뒤편에서 삐죽 나와 있었다.

어……? 시체?

있을 수 없는 일은 아니었다. 이곳도 일단은 숲이니, 들개나 곰에게 습격당해 송장이 됐을 수도 있다.

어쩌면…… 저 다리는 몸통과 분리되어 있을지도 모른다.

나는 조심조심 그루터기 뒤편을 들여다보였다.

다행히 다리는 몸통에 붙어 있었다.

로브(?)를 입은 사람이 엎어져 있었다.

여성일까? 파란빛을 띠는 긴 머리가 크게 펼쳐져 있었다. 햇빛을 담뿍 받은 그것은 머리카락이라는 생각이 안 드는 사파이어 같은 빛을 내고 있었다.

"괜찮은 걸까……?"

역시 이 상황에는 놀랐는지 필이 걱정스레 중얼거렸다.

괜찮은지 안 괜찮은지 따진다면, 뭐, 괜찮다면 이런 데 쓰러져 있지 않을 것이다. 문제는 살았는지 죽었는지다.

"저기요……."

나는 시체(?)의 어깨를 슬쩍 건드렸다. ……따뜻했다. 살아 있나? 아니, 죽은 지 얼마 안 됐을 수도 있고, 맥을 확인해 봐야 한다.

지면에 크게 펼쳐진 긴 머리를 좌우로 살며시 갈랐다. 그러면서 머리카락에 가려져 있던 것이 보여서— 나는 한 번 더 놀랐다.

귀가— 길었다.

어……? 엘프……?!

존재한다는 이야기는 들었다. 사람보다 정령에 가깝고, 인간보다 훨씬 오래 사는, 살아 있는 신 같은 종족…….

그런 엘프가 이런 평화로운 숲에 쓰러져 죽어 있는 건가?

어쨌든 맥을 짚어 보려고 하얀 목덜미를 건드린 순간—.

움찔, 엘프가 움직였다.

나는 놀라서 손을 거두어들이려고 했지만— 그 전에 엘프의 손에 붙잡혔다.

"놔, 놔 줘……!"

반사적으로 뿌리치려고 했으나 힘이 엄청나서 꿈쩍도 안 했다.

엘프가 천천히 고개를 들었다.

긴 머리가 갈대발처럼 내려왔고 그 틈새로 깊은 바다 같은 파란 눈이 보였다.

그 한 쌍의 눈이 머리카락 너머에서 나를 똑바로 노려보았다.

어? ……이거 혹시, 위험한가?

"꺄아아아아아아아!!"

"앗, 야, 필! 너 혼자 도망치지 마!"

매정한 녀석! 게다가 왜 살짝 즐거워하는 비명인 거야?!

나도 필을 따라가려고 했지만.

"—배."

깊디깊은 구멍 밑바닥에서 울리는 듯한.

음산한 목소리와 함께 엘프가 내 손을 당겼다.

도…… 도망칠 수 없어!

“배, 배, 배, 배, 배, 배, 배—.”

지성을 잃은 파란 눈이 형형히 빛났다.

그리고 여성 엘프의 모습을 한 그것은 나를 구속한 채 넘어뜨렸다.

자, 잠깐, 움직일 수 없어! —아! 그래, 정령술!

나는【자립의 투익】으로 엘프를 밀어내려고 했지만 한발 늦었다.

그러기 전에 엘프가 눈앞에서 입을 벌렸고—.

“—배, 고파…….”

……허?

그렇게 내가 얼떨떨해진 직후, 엘프는 다시 힘을 잃고 축 늘어졌다.

넘어뜨려져 있었던 나는 당연히 그 밑에 깔렸다.

몰캉거리며 얼굴 전체를 압박하는 부드럽고 탄력적인 이것은 혹시—.

매미 소리가 들리지 않는 일곱 살의 여름날.

나는 필 외에도 들판에 쓰러져 있던 거유 엘프와 만났다.

인생을 맡길 자격

마치 마술을 보고 있는 것 같았다.

"우걱우걱, 우걱우걱, 우걱우걱우걱우걱."

부러질 듯 가냘픈 몸으로 대량의 음식이 잇따라 들어갔다. 빈 접시는 이미 열 개를 넘었다. 메이드와 집사가 속속 요리를 가져왔지만 여성이 먹는 속도가 훨씬 더 빨랐다.

우리가 데려온 엘프의 먹성은 무시무시했다.

"……잘 먹었습니다."

그렇게 조용히 고한 엘프 앞에는 결국 접시가 서른 개나 쌓여 있었다.

엘프의 외관상 나이는 16~17세 정도였다. 체격도 그에 상응하는데 그만한 양이 대체 어디로 들어간 걸까. 헐렁한 로브 속에는 사실 스모 선수 같은 몸이 있는 걸까? ……아니, 굉장히 말랐었지. 가슴 빼고. 아까 깔렸을 때 느낀 바로는 그랬다.

"굉장하다~! 먹보구나~!"

아빠와 함께 점심 식사에 동석했던 필이 말했고.

"이 정도는 누워서 떡 먹기예요."

엘프 소녀는 그렇게 말하며 엄지를 척 치켜세웠다. 아니, 누워서 떡 먹지 마.

"이야~ 하하하!"

이 집의 주인이자 지금 엘프 소녀가 먹어 치운 식량의 임자인 아빠는 어째선지 유쾌한 얼굴로 웃었다.

"아주 잘 먹네! 대접하는 보람이 있었어!"

"먹을 것을 주셔서…… 감사, 합니다."

"신경 쓰지 마. 우리는 먼 옛날 엘프족에게 큰 은혜를 입었다고 하지. 엘프와 만났을 때는 예를 다하여 환대하는 게 관례야."

"선조님께 감사드려야겠네요."

엘프 소녀는 간결히 말하고서 살짝 미소 지었다.

……역시 엘프는 굉장히 미인이구나. 아니, 이 사람은 미소녀라고 해야 하나? 요정 같다…….

"잭과 필리네에게 들었는데, 숲에 쓰러져 있었다면서요?"

엄마가 말했다. 아까 봤던 2인조는 돌아갔을까?

엘프 소녀는 고개를 끄덕이고서 「에흠」 하고 귀엽게 헛기침했다.

"……죄송합니다. 다른 사람과 얘기하는 게, 오랜만이라서. ……라켈, 이라고 합니다. 각지를 여행하는 떠돌이, 입니다. 배고파질 걸 계산하지 않고 저번 마을에서 출발해 버려서……."

"배고파질 걸 계산한다니……."

그게 뭐야.

고개를 갸웃하는 내게 아빠가 교사 같은 어조로 말했다.

"엘프족은 장수하기에 우리와는 시간 감각이 달라. 우리가 『정신 차리고 보니 몇 시간이나 지난 뒤였다』 같은 일을 겪는 것처럼, 엘프도 『정신 차리고 보니 며칠이나 지난 뒤였다』 같은 일이 당연하게 일어나. 식사 간격은 우리와 똑같은데도 불구하고 말이지. 그렇기에 엘프는 『아사』로 가장 많이 죽는다고 해. 그것도 『식사를 깜빡해서』 굶어 죽는 아사야."

그 말만 들으면 굉장히 얼빠진 종족 같지만…… 라켈이라는 이 엘프의 멍한 모습을 보니 별로 위화감이 안 들었다.

"그래서 엘프는 자기 관리력을 보완하기 위해 인간과 부부가 되는 일이 많다고 해요. 심지어 상대가 수명이 다해 먼저 죽어도 절대 재혼하지 않는다고 해요. 로맨틱하죠?"

엄마가 황홀하게 말했지만, 그거, 배우자인 인간 쪽이 되게 힘들 것 같은데.

"있지!"

갑자기 필이 라켈의 무릎 위에 나타났다. 조금 전까지 필이 앉아 있었던 의자는 텅 비어 있었다. 어느새……. 「떼끼, 요것아!」 하고 포스포드 씨가 주의를 줬지만 필은 듣지도 않았다.

"각지를 여행한다고 했는데, 어째서?"

"어째서? ……어찌하여서?"

"응."

여행 목적을 묻는 것이리라. 고개를 갸웃했던 라켈도 금방 이해한 것 같았다.

“목적은, 특별히 없으려나. 굳이 말하자면, 정령술 수집.”

“정령술 수집?”

질문한 사람은 전혀 이해하지 못한 것 같았지만, 아빠가 「호오?」 하고 눈썹을 올렸다. 나도 관심이 갔다. 정령술 수집……?

“정령술 수집……이란 건 대체 뭐지? 말 못 할 사정이 있는 게 아니라면 가르쳐 주겠나?”

“으음…… 보여 주는 게 빠르려나.”

라켈은 그렇게 중얼거리더니 손바닥을 위로 가게 하여 얼굴 앞에 오른손을 들었다.

“이게, 정령 〈아임〉의【여명의 등불】.”

그 순간, 손바닥 위에 작은 불꽃이 생겨났다.

예전에 아넬리도 썼었던【여명의 등불】― 이게 라켈의 정령술인가?

“그리고 이쪽이―.”

라켈은 오른손과 똑같은 높이로 왼손도 들었다.

직후 벌어진 일을 보고 나, 엄마, 아빠, 포스포드 씨가 동시에 놀란 소리를 냈다.

라켈 앞에 놓인 도자기 컵― 그 안에 남아 있던 물이 라켈의 왼손으로 끌려가 구체가 되었기 때문이다.

"—정령 〈포칼로르〉의【원어(原魚)의 어수(御手)】."

라켈의 오른손에서는 여전히 작은 등불이 일렁이고 있었다.

그와 동시에 왼손에서는 구체가 된 물이 허공에 떠 있었다.

두 가지 정령술을…… 동시에 쓰고 있어……?!

"그…… 그건 대체 어떻게 한 거지?!"

아빠는 당황하여 자리에서 일어났다.

엄마도 눈을 크게 뜨고 손으로 입을 가리고 있었다.

본인들은 전혀 말하지 않아서 전해 들은 이야기지만, 부모님도 예전에는 그럭저럭 유명한 정령술사였다고 한다. 그럼에도 불구하고 직접 내게 정령술을 가르치려고 하지 않는 것은 상당히 특이한 타입의 술사였기 때문인 것 같았다.

그러니 나보다 훨씬 더 충격을 받았을 것이다. 한 인간이 여러 정령술을 쓰는 말도 안 되는 현실에.

"제 정령술로…… 한 거예요."

오른손의 불을 끄고 왼손의 물을 컵에 되돌린 라켈은 담담히 말했다.

그 모습을 보고 머리가 식었는지 아빠도 다시 의자에 앉았다. 하지만 충격은 여전히 가시지 않은 모양이라 연신 양손을 깍지 꼈다 풀었다 했다.

"너의 정령술이란 건…… 대체……?"

"정령 〈샤스〉의【신의(神意)의 접수(接收)】예요."

【신의의 접수】……?

〈샤스〉는 『도둑질』을 관장하는 정령이다. 그래서 그 정령술도 멀리 떨어진 곳에 있는 물건을 손으로 가져오는 등 도둑질에 응용할 수 있는 것이 많았다. 그런 힘으로 어떻게……?

"설마……."

아빠의 목소리는 조금 떨리고 있었다.

"너의 【신의의 접수】는— **타인의 정령술을 훔칠** 수 있는 건가?!"

라켈은 작게 고개를 끄덕였다. 타인의 정령술을 훔치는 정령술이라고……?!

"『훔친다』기보다는 『모방』하는 거지만요. 그래서 본래 소유자가 정령술을 못 쓰게 되지는 않아요. 정령의 종류를 특정하고, 정령술을 사용하는 술자를 목격함으로써, 그걸 흉내 낼 수 있어요. 동시에 두 종류만, 쓸 수 있지만……."

"그렇군……. 장인이 제자에게 말하는 『보고 훔쳐라』의 궁극판 같은 건가……."

뭐랄까, 반칙 능력이다……. 엘프는 정령에 가까운 존재라서 정령술도 뛰어나다지만, 원래 이 정도로 뛰어난가?

"아까 수집이라고 했지? 너는 그 기술로 정령술을 모방하며 돌아다니고 있는 건가?"

"……네. 제게 필요한 정령술이…… 있을 것 같아서."

"여행한 지는 얼마나 됐지?"

"으음……."

라켈은 손가락을 꼽으며 햇수를 셌다.

"……아마, 80년 정도?"

시, 시간의 스케일이 달라…….

"그렇게 오래 여행했다면 이미 정령술 대부분을 수집하지 않았나?"

"아뇨…… 거의 전설상에만 존재하는 정령도 있으니까요."

"〈바알〉, 〈파이몬〉, 〈비프론스〉, 〈아스모데우스〉, 〈사미기나〉— 간단히 볼 수 없는 정령도 많죠."

"아아, 그런가…… 그것도 그렇군. 흐음……."

엄마가 주석을 달자 아빠는 침음을 흘리며 생각에 잠겼다.

"질문만 해서 미안하지만……."

"네. 밥이 맛있었으니 얼마든지."

"그거 다행이야. ……라켈 씨, 그대의 컬렉션 중에 〈안드레알푸스〉의 【자립의 투익】도 있을까?"

"……!"

나는 숨을 삼켰다.

아빠, 무슨 생각이야?

라켈은 「으음……」 하고 머릿속을 살피듯 관자놀이에 손을 올렸다.

"……네, 있어요. 접촉한 것이나 자기 자신의 무게를 지우는 정령술이죠."

“그런가. 그럼 다음 질문이야. 앞으로 뭔가 예정이 있나?”

라켈은 어리둥절해하며 고개를 갸웃했다.

“……아뇨. 예정은 고사하고 갈 곳도…….”

“그거 잘됐군!”

아빠는 활짝 웃으며 손뼉을 쳤다.

……설마.

“라켈 씨— 이건 제안인데, 한동안 우리 집에서 살지 않을래?”

“네?”

라켈이 눈을 깜박였다.

“역시…… 그렇게까지 신세 질 수는.”

“걱정하지 마. 대가는 확실하게 받을 거야. —우리 아들에게 정령술을 가르쳐 줬으면 해.”

……역시나. 그렇게 말할 줄 알았다.

라켈은 고개를 기울이고 나를 보았다.

“……정령술 교사라면, 다른 사람이 얼마든지 있을 것 같은데요…….”

“자화자찬이 되지만, 내 아들 잭은 정령술에 관해서는 이른바 천재거든. 어지간한 교사는 가르칠 수 없어. 생후 9개월에 정령술이 발현된 이후로 취미처럼 맨날 훈련만 하는 별난 녀석이니 말이지.”

「호오! 생후 9개월에……」 하고 포스포드 씨가 말했다.

그보다 아들보고 별난 녀석이라고 하지 마.

“그 점에서 라켈 씨는 걱정할 필요가 없어. 정령술에 뛰어난 엘프고, 잭과 같은【자립의 투익】을 쓸 수 있어. 그리고 무엇보다 80년에 이르는 경험이 있어. 우리 아들에게 정령술뿐만 아니라 이것저것 가르쳐 줬으면 해. 어때? 부탁할 수 없을까? 원한다면 보수도 주겠어.”

“으음…….”

라켈은 침음을 흘리며 생각에 잠겼다. 어깨로 파란 머리가 스르륵 흘러내렸다.

여전히 라켈의 무릎에 앉아 있는 필은「오오~」하고 감탄하며 라켈의 가슴을 주물럭거리고 있었다. 하지 마. 보기 민망하니까.

나는 라켈이 고민하는 동안 끼어들기로 했다. 본인을 내버려 두고서 이야기를 진행하니 뭔가 심란했다.

“아버지. 제 의견은 안 물어보시나요?”

“왜, 싫어? 예쁜 가정 교사라니, 나라면 좋아서 울 거야.”

“……여보?”

엄마가 생긋 웃었다.

“아, 아니, 일반적으로 그렇다는 거지, 일반적으로.”

“흐응. 그런가요.”

“그, 그렇습니다…….”

아빠 약해!

……하긴, 세 번째 교사 같은 자존심으로 똘똘 뭉친 아저씨보다는 예쁜 여자에게 배우고 싶지만.

또 내던지지 않을까?

내 재능을 시샘하고, 감당 못 하고, 미워해서. ……나는 그런 꼴을 더 이상 보고 싶지 않다. 비겁하게 반칙했다고 규탄받는 기분이 든다.

내 재능은 선물 받은 것이다. 나라는 인격과는 어울리지 않는 과분한 선물이다. 그래도 나는 이 힘에 매달릴 수밖에 없다. 이 힘이 내가 이세계에서 가진 하나뿐인 무기니까.

그것을…… 너도 부정하지 않을까?

"……그럼."

라켈은 고개를 들고 말했다.

"일단 아드님의 힘을 보고 싶어요. 가르칠지 말지는 보고 나서 판단할게요."

"그래. 그게 좋겠지. 잭, 괜찮을까?"

"……네. 알겠습니다."

나는 자리에서 일어났다.

뭘 보여 주면 이 멍한 엘프를 놀라게 할 수 있을지 계획을 세우면서.

"흐응…… 이것저것 있어."

라켈이 훈련장을 두리번거렸다.

쿠션용 모래밭, 등반 연습용 바위산, 액체 부유 연습에 쓰는 연못— 고작 일곱 살 아이를 위한 것이라고 하기에는 설비가 충실하니 말이지.

그중에서 라켈이 주의 깊게 본 것은 길쭉한 바위산이었다. 높이는 7미터 정도. 경사면의 각도는 70도를 넘었다.

라켈은 그 꼭대기를 가리키며 내게 말했다.

"정령술을 써서 저기까지 다녀와. 살짝 발을 걸치기만 해도 돼. 단, 도중에 바위산을 건드리면 안 돼."

즉, 한 번의 점프로 바위산 꼭대기까지 뛰라는 건가.

"알겠습니다."

대답하고서 나는 바위산 앞으로 걸어갔다.

7미터 위에 있는 꼭대기를 올려다봤다가 눈앞에 있는 울퉁불퉁한 바위 표면으로 시선을 돌렸다. 으음…….

"저기요!"

라켈을 돌아보고 외쳤다.

"『도중에』 건드리면 안 되는 거니까 지금은 건드려도 되는 거죠?!"

라켈이 의아해하며 고개를 갸웃했다.

"뭐, 좋아. 아직 안 뛰었으니까."

"알겠습니다!"

좋았어.

나는 옅게 웃고 입술을 핥았다.

하나뿐인 무기. 선물 받은 재능. 그렇기에 능력이 부족한 교사에게 가르침 받을 새는 없다. 오만하다는 말을 듣더라도 이 자존심만큼은 버릴 수 없다.

라켈— 너에게 내 인생을 맡길 만한 자격이 있을까?

나는 오른손으로 바위산을 건드려 정령술을 발동했다.

"……? 뭐 하는—."

직후 일어난 일은 지극히 단순했다.

튀어나온 바위를 내가 오른손으로 잡고—.

—바위산을 통째로 땅에서 뽑은 것이다.

"오, 오오오오오오오오?!"

"굉장해~!"

구경하던 포스포드 씨가 놀라서 주저앉았고, 필이 양손을 들며 환호했다.

"설마…… 저만한 크기의 바위산을……."

나는 공중에 띄운 바위산의 아랫부분을 가볍게 톡 노크했다.

그러자 7미터— 땅에 박혀 있던 부분을 포함해 약 10미터가 된 바위산이 거꾸로 180도 회전했다.

그러면서 자연스럽게 꼭대기였던 곳이 내 눈앞에 왔다.

나는 그곳을 발끝으로 살짝 건드렸다.

"살짝 발을 걸치기만 해도 된다고 했죠?"

듣고 있기는 한 건지— 라켈은 상하가 뒤집힌 채 허공에 뜬 바위산을 멍하니 올려다보고 있었다.

"명백하게 한계를 뛰어넘은 중량…… 혹시 이 아이는…….”

"맞아. 아무래도 본령(루스트) 빙의자인 모양이야.”

아빠가 살짝 자랑스러워하며 말했다.

라켈은 입가에 손을 올렸다.

"그렇군요…… 루스트…… 〈숭고한 이별의 안드레알푸스〉의……. 처음 봤지만, 저 정도 출력이…….”

그 순간, 심장 소리가 귓가에서 크게 울렸다.

지금까지 왔던 교사들은 내가 이런 일을 하면 크게 세 가지 반응만을 보였다.

멍하니 서 있거나. 맹렬히 화를 내거나. 의욕을 잃고 포기하거나—.

하지만 라켈의 반응은 무엇과도 달랐다.

손에 가려진 안쪽— 손가락 사이로 슬쩍 보이는 입술이.

그 분홍빛 입술이 지금, 확실하게.

—웃는 형태로 일그러져 있었다.

"단련하는 보람이…… 있을 것 같아.”

희미하게 희색이 묻어나는 중얼거림을 듣고 오히려 내가 멍해졌다.

설마 내 재능을— 신의 편애로 손에 넣은 이 반칙을.

웃으며 인정하는 사람이 있을 줄은 몰랐다.

"아드님을…… 가르치겠어요."

라켈이 조용한 목소리로 그렇게 말하자 아빠는 「오오!」 하고 기뻐하며 웃었다.

"괜찮은…… 건가, 요?"

나는 여전히 조금 당혹스러워하며 물었다. 하마터면 반말로 물어볼 뻔했다.

라켈은 슬쩍 입꼬리를 올렸다.

"원래부터 남을 가르치는 건 별로 싫어하지 않아. ……그리고 모처럼 얻은 재능을 제대로 못 쓰는 걸 보면 짜증이 나."

"허?"

어라? 방금 디스당했어?

"어쩌면 너는 본인을 천재라고 생각할지도 모르지만—."

조용한 목소리로 중얼거리며 라켈의 몸이 허공에 둥실 떠올랐다.

"—아직 멀었어, 애송이."

라켈의 몸이 로켓처럼 날아올랐다.

높은 하늘에서 휙 공중제비를 돌더니 천지가 뒤집힌 채 무릎을 깊이 접었다. 그리고 모아 둔 힘을 폭발시키듯—.

"아……?!"

—허공을 찼다!

아무것도 없는 공중에서 예각으로 턴한 라켈은 똑같은 요령으로 한 번 더 반전했다.

그리고 또 한 번. 거기서 또 한 번. 또, 또, 또—!

비유하자면 공중에 보이지 않는 상자가 있고, 그 안에서 탱탱볼이 마구 튕기고 있는 것 같았다.

라켈의 몸이 공중을 자유자재로 날아다녔다.

내가 아직 3단까지만 성공한 공중 점프를 몇 번이나 사용하여.

"—이거, 못 하지?"

"으악?!"

갑자기 누가 뒤에서 목에 숨을 불었다.

살펴보니 라켈은 이미 하늘에 없었다. 내 뒤에 착지한 것이다.

돌아보려고 했지만, 그러기 전에 뒤에서 나를 끌어안았다.

"잡았다."

귓가에 속삭여서 등이 오싹오싹했다.

푸른빛을 띤 긴 머리에서 여성스러운 달콤한 냄새가 났다.

"너는 출력은 굉장하지만 제어를 전혀 못 하고 있어. 그래서 이렇게 섬세한 방식으로 못 써."

곧장 수업을 시작한 것 같지만, 나는 전혀 집중할 수 없었다.

드, 등에……! 커다랗고 부드러운 것이 말캉하게 눌려서……! 으아아아! 오싹오싹해! 기분이 붕붕 떠! 시, 심장이 터질 것 같아……!

"저, 저기……! 떨어져, 주세……!"

"존댓말 안 해도 돼. 단, 나를 스승님이라고 부를 것. 알겠어?"

"아, 알겠습— 알겠어! 알겠다고요! 스승님!"

"좋아."

그렇게 말하고 라켈— 스승님은 마침내 나를 놔줬다.

위험…… 위험했어! 일곱 살에 이차 성징이 올 뻔했어……!

"다시금 인사할게. 나는 라켈."

스승님은 살포시 웃으며 내게 손을 내밀었다.

"오늘부터 너의 스승님이야. ……잘 부탁해, 잭."

나는 그 손을 머뭇머뭇 잡았다.

이리하여 내게 정령술 스승이 생겼다.

엘프 스승은 가차 없다

라켈의 수행은 이튿날부터 시작됐다.

“힘내~.”

어째선지 견학하러 온 필이 태평하게 손을 흔들었다. 훈련장 구석에 있는 벤치에 앉아, 마주 선 나와 라켈 스승님을 우아하게 구경 중이었다.

“여기 엎드려.”

라켈은 반론을 허락하지 않는 평탄한 어조로 말했다. 쭉 뻗은 손가락이 가리키는 곳은 발밑의 지면이었다.

의문스러웠지만 일단 순순히 따랐다. ……그러자.

“영차.”

“끄에엑!”

라켈이 전혀 망설이지 않고, 엎드린 내 등에 앉았다!

“무, 무겁…… 무거워……!”

“이대로 팔 굽혀 펴기~.”

악마인가! 일곱 살 아이에게 무슨 근육을 기대하는 거야!

반대편에서 필이 즐겁게 웃었다. 무리무리무리, 짜부라질 거야. 나 죽네~!

“무리한 일은 아니야. 하면 돼.”

나 알아! 하면 된다고 말하는 녀석은 대체로 근거가 없어!

"정령술로 내 무게를 지우면 돼."

…………그런 건 먼저 말해!

나는 등에 엎어진 라켈의 엉덩이— 크흠, 무게에 의식을 집중하고 【자립의 투익】을 발동했다. 그리고 팔에 힘을 줘서 몸을 일으켰다.

"너는 아직 정령술을 자기 것으로 만들지 못했어."

그렇게 말하며 라켈은 손으로 내 정수리를 만지작거리기 시작했다. 하지 마.

"정령술은 우리에게 주어진 제삼의 손이자 발이야. 너는 손발을 움직일 때 『손발을 써야지』 『움직여야지』 하고 일일이 의식해? 오히려 정령술을 쓰는 게 더 자연스러울 정도가 돼야 해. 그 정도도 안 되면 논외야."

"그러니 우선 정령술을 사용하며 팔 굽혀 펴기를 해라?"

"그런 거지. 그리고 너, 말랐으니까."

……확실히 정령술 훈련만 하느라 근력 운동 같은 건 안 했지만.

"팔 굽혀 펴기, 일단 20번."

"20번인가……."

"—그걸 5세트."

"마귀! 악마! 성질 더러운 엘프! —아야?!"

"스 · 승 · 님."

"……스승님."

큰일이다. 이 폭유 엘프, 스파르타다.

나는 어쩔 수 없이 팔 굽혀 펴기를 시작했다.

"하나~ 둘~."

우오오…… 생각보다 지친다……! 팔 굽혀 펴기에 익숙하지 않기도 하지만, 정령술을 쓰면서 하는 게……! 이거, 뇌가 두 개 필요하잖아……!

현실에서 도피하듯 앞을 보자 필이 눈앞에 쪼그려 앉아 있었다. 팬티 보인다고 말해 주고 싶지만 그럴 여유도 없었다. 작은 얼굴이 위, 아래, 위, 아래로 내가 오르내리는 것에 맞춰 흔들렸다. 내 위에 앉은 라켈을 보고 있는 것이다.

……불길한 예감이 든다.

"—나도 탈래~!!"

직후, 필의 모습이 시야에서 사라지더니 등을 누르는 무게가 증가했다!

"두둥~!"

"끄에엑!!"

갑자기 늘어난 무게에 대응하지 못하고 나는 납작해졌다.

"잭. 멈췄어."

"멈췄어~!"

"너희…… 너희 말이야……!"

진짜, 두고 봐……!

"……헉…… 헉…… 헉……."

"달려, 달려."

말 안 해도 달리고 있다.

각종 근력 운동(with 무게추 걸즈)을 끝내고 수분 보충과 약간의 휴식을 가진 후, 이번에는 달리기를 명받았다. 물론 라켈을 목말 태우고 뛰는 달리기였다.

숨이 차고 옆구리가 아파지면 의식이 멍해진다. 그러면 정령술이 끊겨서 불쌍한 나는 찌그러지는 구도다.

그렇게 되기는 싫기에 필사적으로 정령술을 유지했지만, 이게 굉장히 체력을 요했다. 별로 뛰지도 않았는데 벌써 못 하겠다는 말이 나올 것 같았다.

그리고—.

"속도, 떨어졌어."

어깨에 앉은 라켈이 내 머리를 툭툭 두드렸다.

—그리고 말이다.

목말을 태우고 있다는 것은 즉, 얼굴 양옆에 라켈의 허벅지가 있다는 거라서. 매끈매끈하고, 탄력적이고, 부드럽다는 거라서. ……머리 위에서도 굉장한 존재감이 느껴져서.

이건 뭘까. 아이로 돌아온 탓인지 전생한 뒤로 그런 쪽에는 전혀 흥미가 생기지 않았는데— 저택의 젊은 메이드에게도 그런 마음을 품은 적이 없는데, 어째서 라켈한테만? 혹시 이게 성에 눈뜬다는 건가. 유치원생 아이가 젊은 보육사 선생님을 좋아하게 되는 그런 건가.

……잘 생각해 보면, 내 정신은 이미 어른인데 저쪽은 나를 일곱 살 아이로 여기고 대하는 건 상당히 안 좋은 상황 아닐까?

"……저기. 하나 물어봐도 돼?"

몸도 마음도 여유가 없는 내게 라켈이 무정하게도 말을 걸어왔다.

"정령술…… 왜 잘 쓰고 싶어 하는 거야?"

"그야……."

녹초가 된 내 뇌리에 떠올리고 싶지도 않은 광경이 스쳤다.

친한 사람을―.

가까운 사람을―.

동생의 형상을 한 부조리가 망가뜨리는 광경이.

"……싫으니까…… 그렇지!"

산소 부족과 정령술 유지로 머릿속은 엉망진창이었다.

그렇기에 꾸밈없는 말이 흘러나왔다.

"아무것도, 못 하고…… 무력하고…… 무능해서…… 지키지 못하는 게, 싫으니까!"

냉정히 생각해 보면 일곱 살 꼬맹이가 무슨 소리인가 싶은 얘기지만.

부잣집에서 곱게 자란 아이가 할 수 있는 말이 아니지만.

라켈은― 살며시 내 머리를 쓰다듬었다.

"……그래."

그리고 그 매끈한 손을 내 뺨에 올렸다.

"—그렇다면 더 빨리 달려."

"아야야야야! 뺨! 뺨 꼬집지 마!!"

진짜, 정말로, 반드시, 언젠가 갚아 주겠어……!!

"지 군, 수고했어~?"

"헉…… 하아…… 헉…… 하아……."

뺨을 콕콕 찌르는 필의 손을 뿌리치지도 못하고 나는 대자로 뻗어 있었다.

어느새 해가 높이 떠올라 있었다. 곧 있으면 점심시간이다.

"역시…… 이제…… 끝이겠지……!"

"아직. 하나 더 있어."

"아아아아악!!"

너무나도 무정한 선고에 나는 통곡했다.

울어 버릴 거야! 어린아이의 울음소리는 강력하다고!

"하지만 근육을 쓰는 종류는 아니니까. 걱정하지 마."

"드디어…… 정령술 쓰는 법을…… 가르쳐 주는 거야……?"

"그런 거지. 숨 고르고 나서 숲에 갈 거야."

"나도 갈래~!"

달리기는 따라오지 않았던 필이 숲에 간다는 말을 듣자

마자 기뻐하며 폴짝 뛰었다. 자연인 같으니라고.

내 호흡이 진정되길 기다렸다가 셋이서 숲에 들어갔다.

언제 지리를 조사했는지 라켈은 망설이지 않고 앞장섰다. 정비된 길에서 벗어나 짐승이 다닐 만한 루트로 이동해 도착한 곳은 가파른 절벽 위였다.

"흐아…… 높아~!"

필을 따라 절벽 아래를 보니 땅이 약 30미터 아래에 있었다.

무서워……. 이 숲에 이런 위험한 곳이 있었나.

"스승님. 이런 데서 무슨 훈련을—."

그렇게 말하며 뒤돌아본 순간이었다.

"쾅~."

라켈이 나를 확 밀쳤다.

"어?"

몸이 절벽 밖으로 내던져졌다.

발밑에 있는 것은 당연히 지면이 아니라—.

30미터 아래까지 이어지는 깊디깊은 허공이었다.

"하, 아아아아아아아아아아아아아아아?!"

중력이 온몸을 붙잡으며 부유감이 발끝에서 머리끝까지 관통했다.

눈앞의 절벽이 빠르게 위로 흘러갔다. 세상이 나를 두고 상승하는 것 같았다. 아니, 틀렸다! 무슨 헛소리를 하는 거야! 나야! 내가 떨어지고 있다고!

밑으로 시선을 보내 땅이 급속도로 가까워지는 것을 인식하고서.

—【자립의 투익】!

절벽을 절반쯤 지났을 무렵에 나는 둥실 떠올랐다.

두근두근 뛰는 심장 소리를 몇 초간 듣고 내가 살아 있음을 확인하고서.

"—죽 · 일 · 셈 · 이 · 냐아아아아아아아아아아아!!"

전력으로 항의하며 절벽 위로 돌아갔다.

수행 첫날부터 제자를 죽이려 한 스승은 태연한 얼굴로 천연덕스럽게 말했다.

"절반, 정도인가……. 아직 한참 느려."

"그게 제자를 죽이려 한 직후에 할 말이야?!"

"방금 그건 순간적으로 정령술을 쓰기 위한 훈련이야."

태연했다.

"아무리 대단한 정령술을 쓸 줄 알아도, 기습당해 발동하지도 못한다면 아무 의미 없어. 그러니까 앞으로 나는 돌발적으로 정령술을 쓸 수밖에 없는 상황에 너를 몰아넣을 거야. 거기에 최대한 빨리 대처할 것."

"……즉, 방금 같은 일이 때때로 아무 예고도 없이 일어날 거다?"

"그래."

……죽을 거야! 언젠가!

"에잇."

아연실색하고 있으니 필이 갑자기 떠 있는 내 발에 매달렸다.

순간적으로 대응하지 못한 나는 그 무게에 허무하게 낙하. 땅과 격돌했다.

끄엑! 하고 차바퀴에 깔린 개구리 같은 비명을 지르는 나를 내버려 두고서 필은 라켈을 보았다.

"이렇게~?"

"그렇게."

두 사람이 엄지를 척 치켜들었다.

……진짜로……? 이 두 사람의 돌발적인 장난을 온종일 경계해야 해……?

"조금 전 너의 대처 속도는 1.5초 정도. 그 정도 시간이면 접근해서 목을 베는 건 간단해."

목을 쓱 베는 제스처를 취하며 라켈이 말했다.

……말 자체는 타당했다. 하는 짓은 엉망진창이지만.

"최종 목표는 0.2초. 달인은 더 빠르지만, 0.2초 만에 정령술을 쓸 수 있으면 웬만한 일에는 대처 가능해. 온종일 경계할 필요는 없으니까, 뭔가 당했을 때 어떻게 대처할지 이미지 트레이닝만큼은 확실히 해 둬."

"……알았어."

"좋아. 그럼 오늘은 여기까지."

"오?! 오늘은 끝이야?!"

"그래, 끝. —기초 메뉴는 말이야."

……으음.

기초……라는 게 무슨 뜻이었지? 나는 어린애라서 모르겠어.

"하하하하!!"

점심 식사 자리에서 마주한 아빠는 나를 보자마자 즐겁게 폭소했다.

"예쁨 받고 있는 모양이구나, 잭! 너의 그런 지친 얼굴을 나는 처음 봤어!"

"이 사람…… 진짜…… 막무가내라……."

"네가 체력이 없는 거야. 그리고 이 사람이 아니라 스승님."

같은 식탁에 앉은 라켈이 그렇게 말하자 아빠는 또 가가 대소했다.

덧붙여 라켈 앞에는 역시 대량의 그릇이 차려져 있었다. 동석한 필이 옆에서 훔쳐 먹으려고 했지만 고속으로 날아온 라켈의 손이 방어했다.

……줄곧 나를 타고 있었으면서 왜 나보다 많이 먹는 거야.

"역시 내 안목은 옳았던 모양이야. 누가 가르치든 시시

해하던 잭이 불과 반나절 만에 이렇게 되다니!"

"이렇게 생기 넘치는 잭을 보는 게 몇 년 만인지……."

엄마…… 이게 생기 넘치는 모습으로 보인다면 시체도 생기 넘치는 게 돼요…….

"라켈 씨. 대체 어떤 훈련을 하고 있어? 나한테도 들려주지 않을래?"

"기초적인…… 훈련이에요. 정령술을 쓰면서 달리게 하는 등."

"오오! 옛날 생각나네……. 나도 비슷한 훈련을 했었어. 잭한테도 역시 효과가 있어?"

"루스트든 뭐든 간에 기초는 중요하니까요……. 그리고."

"으억?!"

갑자기 찐 고구마가 날아와 내 입을 막았다.

"이렇게 돌발적인 공격에 대처하는 훈련도 동시에 병행할 거예요. ……잭. 방금 그건 간단히 예상할 수 있었어."

"힉샤 중에 나라오 꺼랑 행가긍 안 하자나(※식사 중에 날아올 거란 생각은 안 하잖아)!"

"적대자에게 습격당하고서도 그런 소리 할 거야?"

끄으으으……! 찍소리도 할 수 없다.

"하하하!! 예상보다 더 실전적이네! 라켈 씨는 다른 사람을 가르친 경험이 있어?"

"제 정령술은…… 용도가 그 정도뿐인지라. 여행 중에

노잣돈을 벌기 위해 이따금."

"경험이 풍부하단 거군. 기대되지 않아? 매들린. 우리 아들은 분명 대성할 거야."

"네. 좋은 교사를 만나는 것도 재능인걸요."

좋은 교사…… 뭐, 확실히 그건 인정 못 할 것도 없지만.

입에 꽂힌 고구마를 우물우물 씹다가 필이 묘하게 조용하다는 걸 깨달았다.

라켈을 빤히 바라보고 있었다.

음식을 훔쳐 먹을 타이밍을 노리고 있나? 하는 생각도 했지만―.

"있지!"

―하고, 먼저 라켈에게 말을 걸었다.

라켈이 돌아보자 필은 커다란 눈을 빛내며 믿을 수 없는 말을 꺼냈다.

"나한테도『정령술』가르쳐 줘!"

점심을 먹고 나, 라켈, 그리고 필은 다시 훈련장으로 나왔다.

"그럼 해 봐."

"응!"

단, 이번에는 내가 견학. 이번 주역은 필이었다.

필은 나와 라켈의 훈련을 보고 끼고 싶어진 듯했다. 이미 충분히 끼지 않았느냐는 지적은 넘어가기로 하고, 필의 제자 입문은 보호자인 포스포드 씨의 허가를 받아야 하기에 처음에는 떨떠름하게 여겨졌다.

하지만『재밌어 보인단 말이야!』하고 떼쓰는 폭주 아가씨를 그 자리에 있던 누구도 막지 못해서 일단 정령술을 보게 된 것이다.

필은「으음~」하고 주위를 둘러보더니.

"아. 있다, 있다~! 새야, 이리 와~!"

하늘을 향해 그렇게 말했다.

그러자 하늘을 날던 새 세 마리가 일직선으로 활강했다.

새들은 필의 머리와 어깨에 앉아 뭔가를 호소하듯 지저귀었다.

"흠흠. ……뭐~?! 그래~?! 굉장하다~!"

……담소하고 있어?

내 눈에는 필이 새들과 담소하고 있는 것처럼 보였다.

"……그렇군……."

그 모습을 보고 라켈은 납득한 듯 고개를 끄덕였다.

"정령 〈바르바토스〉의 【무결의 사전】……. 인간 이외의 생물과 대화하고 명령할 수 있는 정령술……."

"새랑 고양이, 개미랑도 친구가 될 수 있어!"

어깨에 앉은 새가 부리로 콕콕 쪼자 필은「아이참, 간지러워~!」 하고 웃었다. 확실히 『명령한다』기보다 『친구가 되는』 느낌이었다.

광경 자체는 흐뭇하지만…… 이거, 어떻게 쓰느냐에 따라 상당히 유용한 정령술 아닌가?

"흠……."

라켈은 잠시 생각하고서 말했다.

"필리네."

"필이라고 불러도 돼~! 『제자』로 삼아 줄 거야?!"

"……필. 제자로 삼을지 말지는 너희 아버지와 이야기하고 나서 정할 거야."

"치이~."

"하지만 그것과는 별개로— 잭의 오후 훈련을 조금 도와줄래?"

"도와줘? 뭘 하면 되는데?"

"잠깐 이리로……."

라켈이 손짓하여 필을 부르더니 뭔가를 속닥거렸다.

몹시 불길한 예감이 들었다.

"……응. 알았어! 할게~!"

"그럼 부탁해. ……어허, 도망치지 마, 잭."

"이거 놔~!!"

나는 다시 숲으로 질질 끌려갔다.

어느새 나는 커다란 늑대를 타고 있었다.

"……어? 뭐야? 이거 뭐 하는 거야?"

"늑대에 탄 채 최대한 자세를 유지할 것. 이상."

"아니, 좀 더 설명을—."

"자, 가라! 아우우!!"

"—으아아아아아아아아아아아아!!"

필의 호령을 듣고 달리기 시작한 늑대의 등에 나는 필사적으로 매달렸다.

빨라! 빨라, 빨라, 빨라!!

나무들 사이를 누비며 종횡무진 달리는 늑대는 흡사 제트 코스터 같았다. 심지어 몸을 고정하는 안전바나 잡을 수 있는 손잡이도 없었다! 떨어진다, 떨어진다, 떨어진다, 떨어진다—!!

"떨어지려는 순간에 타이밍 맞춰 정령술을 써! 자신의 무게를 흘리는 이미지로!"

무게를, 흘리라고……?! 떨어지려는, 순간에……!

나는 늑대의 움직임을 자세히 보았다. 근육의 움직임을, 시선이 향하는 곳을 보았다. 언제지? 언제 꺾는 거지? 아직 일직선이다. 아직. 아직. 앞에 커다란 나무가 보였다. 이대로 가면 부딪친다. 저기다. 거의 다 왔다. 3…… 2…… 1—.

지금이다!!

"—으오와아아아아아아아아악!!"

무게를 흘리기는커녕 나는 늑대의 등에서 휙 날아갔다.

쿠당탕!! 나무줄기에 요란하게 등을 부딪치고 나서 주르륵 흘러내렸다. 『부유』는 했기에 아프지는 않았다.

"타이밍이 빨라."

라켈이 저벅저벅 걸어와 담담히 말했다.

필은 그 옆에서 깔깔 웃고 있었다.

"너무 갑작스럽다고!! 먼저 설명을 해! 설명을!!"

"쓸데없는 지식을 집어넣기보다 몸소 배우는 편이 좋을 것 같았는데."

웬일로 라켈은 고개를 갸웃하며 항의를 받아들이고 설명하기 시작했다.

"내가 예전에 갔었던 외해의 어떤 섬에 〈안드레알푸스〉를 특히나 신앙하는 마을이 있었어. 거기서는 【자립의 투익】을 이용한 무술이 대대로 전해져 내려왔는데……."

예상치 못한 도입이었다. 그 무술을 가르쳐 주려고 한 건가? 보통 그 설명을 생략하나?

"그 섬에서는 【자립의 투익】은 땅뿐만 아니라 세상으로부터 부유하는 힘이라고 가르쳤어. 그래서 발동 전에 대상에게 걸려 있던 힘은 소실되는 거야. 더 정확히는 남겨지는 거야. 부유하기 전의 세계에."

"스승님, 스승님~! 모르겠어요~!"

필이 씩씩하게 항복을 선언했지만, 내게는 납득이 가는

설명이었다.

【자립의 투익】을 발동하면 풀리는 무수한『대지의 사슬』. 그 정체가 바로 중력을 비롯하여 물체에 가해지는 갖가지 힘이라고 나는 생각했다. 그 증거로 물체를 띄우면 관성조차 작용하지 않아서 그 자리에서 정지했다. 마치 물리 법칙을 남겨 두고 떠오른 것처럼.

"그럼 부유 중인 물체를 때려도 흠집 하나 생기지 않는 것도 세상으로부터 부유했기 때문인가?"

"그 마을에서는 그렇게 해석했어. 진실은 아무도 모르지……. 다만 한 가지 확실한 건, 그 성질을 이용하면 자연의 섭리를 무시하고 움직일 수 있다는 거야. 이렇게."

작은 바람이 눈앞을 휭 지나갔다.

그렇게 생각했을 때, 라켈의 모습은 소실된 상태였다.

"어?"

황급히 주위를 둘러보았다. 그러자 10미터쯤 떨어진 나무들 사이에 파란 머리 엘프가 있었다. 라켈은 우리를 향해 손을 흔들었고, 다음 순간—.

휭. 10미터 오른쪽에.

휭. 10미터 안쪽에.

휭, 휭, 휭, 휭휭휭휭휭—.

숲속을 뛰어다니는 엘프의 모습을 나는 거의 포착하지 못했다. 눈에 힘을 줘서 겨우 알아낸 것은 라켈의 움직임이 비정상적으로 날카롭다는 것이었다. 커브하거나 턴하는 순간, 전혀 속도를 줄이지 않았다. 그 탓에 눈으로도 좇을 수 없었다……!

"—이런 식으로."

다시 눈앞에 나타난 라켈은 그 긴 머리조차 흔들리고 있지 않았다.

"달리기 시작할 때, 꺾을 때, 몸을 반대로 돌릴 때, 멈출 때— 요소요소에서 한순간만 부유하면 여분의 힘을 버리고 늘 최고 속도로 움직일 수 있어. 아까 얘기한 섬에서는 이 기술을 《우익의 품새 · 현조(玄鳥)》라고 불렀어. 그 섬의 무술에서는 기본기 중 하나야."

【자립의 투익】이 물리 법칙을 버리는 것을 이용하여 관성을 캔슬한다……!

그런가. 【자립의 투익】은 그렇게도 쓸 수 있었나!

"참고로 어제 보여 준, 바람을 차서 하늘을 날아다니는 그 기술은 《좌익의 품새 · 신천옹》. 이것도 기본기 중 하나야. 그 섬에서는 빠르면 여덟 살에 터득했어."

"여덟 살?!"

지금 내가 일곱 살이니까— 앞으로 고작 1년. 평범한 사람이 철들 나이보다 훨씬 일찍부터 훈련에 힘쓴 나와 거의 같은 수준…….

"아까 했던 늑대를 타고 달리는 훈련을 완벽하게 해낸다면 둘 다 터득할 수 있을 거야.”

라켈은 담담히 말하고서 시험하는 듯한 눈으로 나를 내려다보았다.

“어쩔래?”

……어른의 지성을 뛰어넘고 귀중한 재능을 선물받았다.

하지만 근본적인 센스가 부족하다.

그렇다면— 노력으로 메꿀 수밖에 없지 않겠는가.

“……하겠어. 이번에는 성공시키겠어.”

“좋아. ……필.”

“오케이, 스승님! 멍멍아, 이리 와~!”

저 늑대가 멍멍이인가요. 두세 명은 잡아먹었을 것 같은데요. 그게 또 무서운데요. 이 숲에 저런 게 있었다니.

하지만, 뭐— 늑대 따위, 동생과 비교하면 전혀 무섭지 않다.

나만 한 크기의 늑대에게 다가가는 내 뒤로 기운찬 목소리가 따라왔다.

“힘내라, 힘내라, 지 군! 이겨라, 이겨라, 지 군! 이번에는 위아래로도 잔뜩 흔들게~!!”

“그거 떨어뜨리려는 거잖아!! 완전히 떨어뜨리려는 거잖아!!”

“잔말 말고 얼른 타.”

이리하여 내 수행이 시작되었다.

필도 이튿날에는 아빠에게 허락을 받아 와서 내 사매(師妹)가 되었다.

나, 필, 라켈.

셋이서 정령술을 훈련하는 나날이 쏜살같이 지나갔다.

수확제와 소녀들

"내일은 수행을 쉴 거야."

늦더위가 가시고 바람이 선선해지며 산들이 울긋불긋해지기 시작했을 때.

마침내 수행이 끝난 저녁 무렵, 라켈이 난데없이 그렇게 선언했다.

나는 숙이고 있던 고개를 들고 거칠어진 숨을 고르며 눈썹을 찡그렸다.

"……쉰다고……? 말은 그렇게 하고서…… 어차피 또 기습할 작정이겠지……."

저번에도 그런 적이 있었다. 쉰다고 해서 해방감을 즐겼는데, 사실은 기습에 대처하는 훈련이었던 적이.

"아니. 이번에는 정말로 쉴 거야."

라켈이 담담히 말했다.

"내일은 축제니까."

"……아아…… 벌써 수확제 시기인가……."

농업이 주요 산업인 다임쿠르드에서는 1년에 한 번, 가을에 대규모 수확제가 개최되었다.

원래는 농촌에서 여는 자그마한 행사였다고 하는데, 농가와 상인이 노점을 열기 시작하고, 유랑 극단이 연극을 하기 시작하는 등 세월과 함께 규모가 커졌다는 모양이다. 지금은 왕도에서도 심심찮게 관광객이 오는, 라에스 왕국에서도 손꼽히는 축제 중 하나였다.

올해는 수행하느라 축제를 즐길 겨를도 없을 줄 알았는데—.

"……정말로 쉬는 거야? 하루 꼬박?"

"둘 다 가끔은 놀고 싶을 것 같아서."

이 호랑이 교관에게도 사람의 마음이 있었나! 하고 감동했다가…… 퍼뜩 깨달았다.

"……그러고 보니 매년 수확제에 맛있는 음식을 대접했지?"

라켈은 말없이 눈을 피했다.

변함없이 식탐이 대단한 엘프다……. 뭐, 몇십 년이나 떠돌이 생활을 한 데다가 잠깐 방심하면 식사를 잊어버린다고 하니, 식욕에 충실해지는 것도 이해 못 하는 바는 아니지만.

"……어쨌든 스승님의 호의는 감사히 받아들이도록. 알겠어?"

"생색내기는……."

"알겠어?"

"딱밤 날리려고 하지 마, 폭력 스승!"

……어라? 하고 그제야 생각났다.

그러고 보니 옆에 있는 필이 묘하게 조용했다. 쉰다고

하면 제일 먼저 신나게 떠들 녀석인데.

옆을 보니 필은 몸을 배배 꼬며 나를 힐끔거리고 있었다.

"필, 왜 그래?"

"있지. 그게 말이지. 그러니까……."

즉흥 소녀인 필이 드물게도 망설이고 있었다. 더더욱 이상하게 여기고 있으니 필이 가만히 나를 보며 가녀리게 물었다.

"……지 군, 나랑 같이 축제 돌아 줄래?"

나는 고개를 갸웃했다.

"너 말고 누가 또 있는데? 혼자 돌아도 재미없잖아?"

굳이 말하지 않아도 나는 그럴 생각이었는데.

"앗싸~!"

조금 전까지의 망설임은 뭐였나 싶은 기세로 필이 와락 안겨 들었다. 나는 습관적으로 【자립의 투익】을 사용해 받았다. 필도 무게가 지워지는 데 익숙해서 그대로 발을 파닥거렸다.

"데이트네! 축제 데이트!"

"그 말은 또 누구한테 들은 거야……."

분명 메이드 중 누군가겠지, 하고 생각하며 나는 미소 지었다.

“─『오오, 보라! 「하늘의 검」이 내뿜는 빛이 하늘을 황금빛으로 물들였도다! 사악한 왕거미가 성스러운 빛에 비명을 지르는구나!』”

“『나의 이름은 용사 라에스! 사악한 신이여, 허무의 바다로 돌아가라!』”

단상의 여배우가 검을 들고 외치자 광장에 몰려든 관객들이 환호성을 질렀다.

“『4용사의 악신 토벌』인가. 올해는 상당히 대중적인 작품이네.”

나는 멀찍이서 무대를 바라보며 달콤한 호박파이를 먹었다.

“유명해? 저 이야기.”

그렇게 묻는 필의 입가에는 들고 있는 꼬치구이의 양념이 덕지덕지 묻어 있었다. 나는 손수건으로 그걸 닦아 주면서 설명했다.

“라에스 왕국─ 이 나라의 건국 신화잖아? 정확히는 대륙 열강 삼국의 건국 신화.”

“건국 신화?”

“나라가 세워졌을 때의 이야기를 말하는 거야.”

“그렇구나~?”

이 나라뿐만 아니라 어디서나 어릴 때 잠자리에 듣는 이야기일 테지만…… 필은 엄마를 일찍 여의었다고 하니 들을 기회가 없었을지도 모른다.

『4용사의 악신 토벌』― 무지막지하게 큰 거미 형태의 악신과 『4종 신기』라고 불리는 무기를 지닌 네 용사의 싸움을 그린 이야기다.

이 이야기에 의하면 용사들이 악신을 토벌한 후에 만든 나라 중 하나가 우리가 사는 라에스 왕국이라고 한다. 왕이 영웅이나 신의 후손이라고 하는 건 어느 세계에서나 똑같은 모양이다.

우리는 노점에서 산 음식을 다 먹고 관객으로 붐비는 광장을 뒤로했다. 필이 옆에서 걸으며 「다음엔 어디 갈까~?!」 하고 즐겁게 나를 보았다.

"음……. 『드워프의 땅굴』에서 많이 먹기 대회가 열린다고 들었어."

"호오~ 많이 먹기 대회. ……스승님이 나올지도?"

"만약 출전한다면 우승 확정이지."

"가자~ 가자~!"

이 근처에서는 보기 드문 드워프족이 운영하는 식당을 향해 걷기 시작했다.

사람들로 북적이는 거리 한복판에는 커다란 잎사귀가 부드럽게 펼쳐진 나무가 띄엄띄엄 심겨 있었다. 평범한 가로수가 아니었다. 이 수확제를 위해 정령술로 키운 것이었다.

그 이름도 『정령수』라고 하는데, 정령에게 감사와 기도를 올리기 위한 매개체였다. 속되게 말하자면 크리스마스

트리 같은 거였다.

정령수 근처에는 정다운 커플들이 여기저기 보였다. 뭔가 효험이 있겠지만, 아직 그런 것과는 무관한 나이라서 잘은 모르겠다.

"……응?"

정령수를 보는 사이에 옆에 있던 필이 없어졌다는 걸 깨달았다. 설마 그 말괄량이, 멋대로 어딘가 갔나?! 허둥지둥 주위를 둘러보니 필은 뒤쪽에 멈춰 서 있었다.

조금 돌아가서 말을 걸었다.

"왜?"

"……아. 아니. 아무것도 아니야!"

아무것도 아닌 일에 갑자기 멈춰 서지는 않을 것이다.

필이 멈춘 곳은 어떤 노점 앞이었다. 길바닥에 깐 돗자리에 리본, 머리끈, 머리핀 등 천을 사용한 헤어 액세서리들이 진열되어 있었다.

노점 주인으로 보이는 젊은 여성은 구경하고 싶으면 하라는 듯 입을 다물고 있었다. 무뚝뚝함의 극치였으나, 상품에서는 섬세한 센스가 느껴졌다.

아마추어의 취미가 아닌 것 같았다. 재봉사의 도제 같은 사람이 수행 겸 만든 것을 이참에 팔고 있는 걸까.

나는 헤어 액세서리에서 필에게로 시선을 돌렸다.

"갖고 싶어?"

"으에?!"

필은 어째선지 허둥거리며 놀랐다.

"아니! 그런! 나는…… 여, 여자애답지 않고……."

"뭐? 그게 무슨 말이야."

"다, 다들 그러는걸! 여자아이는 다소곳한 법이라고! 좀 더 여자답게 굴라고! 그러니까 나는…… 딱히, 필요 없어, 이런 거……."

토라진 것처럼 중얼거리는 필의 모습은 의외였다.

포스포드는 거상 가문이다. 그 집안의 딸인 필은 현대풍으로 말하자면 사장 딸— 환경의 갑갑함은 귀족보다 더하면 더했지 못하지는 않을 것이다.

천진난만하고 자유분방해 보이는 이 녀석에게도 고민이라고 부를 수 있는 것이 있었던 모양이다.

흠……. 나는 한 가지 계획을 생각해 내고 무뚝뚝한 주인에게 말했다.

"실례합니다. 시착해 봐도 될까요?"

주인이 말없이 고개를 끄덕였기에 나는 분홍색 리본을 하나 집었다.

"어? 어? 지 군?"

"딱히 다소곳해지지 않아도 말이야, 겉모습부터 꾸미는 것도 한 가지 방법이잖아? 자, 살짝 머리 숙여 봐."

"으아~!"

나는 필의 머리를 푹 숙이게 하고 밤색 머리카락을 한 움큼 들어 리본으로 묶었다.

머리 옆으로 작은 사이드 테일이 생긴 필은 그 머리카락 끝을 콕콕 찌르며 몸을 움츠렸다.

“나, 아, 안 어울릴 거야……. 이런 분홍색 리본…….”

“잘 어울려. 예쁘게 생겼으니까 뭘 해도 잘 어울리겠지.”

“어, 어어? 나 예뻐……?”

“움직이지만 않는다면.”

“뭐~?! 지 군 심술쟁이!”

얼굴을 붉힌 필의 투덕투덕 펀치를 나는 웃으며 손으로 막았다.

그 리본은 결국 내가 아빠에게 받은 군자금으로 사 주게 되었다.

그 후로도 필과 함께 수확제를 돌았고, 순식간에 해가 저물었다.

수확제는 밤에도 계속되지만, 그건 어른들만이다. 필의 집에서 사람이 왔기에 우리의 데이트는 거기서 끝났다.

“내일 봐, 지 군! ……리본, 고마워.”

“그래. 겸사겸사 조금은 다소곳해져 봐.”

“싫다, 뭐~!”

집에 돌아가는 필은 웃고 있었다. 내가 사매의 힘이 됐다면 기쁜 일이다.

자, 그럼. 우리 집에서 사람이 오기까지는 조금 시간이 있다. 혼자서 조금만 돌아다니기로 할까. 이래 봬도 차기 영주니까. 시찰이다, 시찰. 응응.

이론 무장을 완료하고 시끌벅적함에 이끌려 설렁설렁 걸었다.

특히나 떠들썩한 광장에 발을 들이니 술 냄새가 진동했다. 윽…… 숨만 쉬어도 취할 것 같다.

뭐 하는 건가 싶었는데 많이 마시기 대회가 열린 듯했다. 빈 술통과 고주망태가 된 남자들이 여기저기 널브러져 있었다.

“잘한다, 잘한다~!!”, “더 마셔라~!!”, “저것 봐! 안색이 그대로야!!”

관객까지 취했는지 폭동이라도 일어난 듯 열광적이었다.

뭐랄까, 불건전한 공간이었다. 정말로 허가받은 건가?

나는 미심쩍어하며 관객 뒤편에서 대회장으로 보이는 곳을 보았다.

그곳에는 긴 테이블이 설치되어 있었고, 대회 출전자로 보이는 남자들이…… 남자들, 이……?

“……윽, ……우웁…….”

근육질 남자가 의자에서 쿠당탕! 굴러떨어졌다.

그 옆에서 빈 맥주잔을 조용히 테이블에 내려놓은 사람은—.

"잘 마셨습니다."

—긴 파란 머리를 가졌고 귀가 뾰족한 여자였다.

"……뭐 하는 거야, 스승님……."

남자들의 뜨거운 환호성을 받으며 광장을 나온 라켈에게 나는 어이없다는 시선을 보냈다.

조금 전에 여러 남자를 격침시킨 엘프는 어리둥절해하며 고개를 갸웃했다.

"잭, 여기서 뭐 해? 필은?"

"질문에 질문으로 답하지 마. 필은 집에서 사람이 와서 돌아갔어."

"그래. 즐거웠어?"

"스승님만큼은 아니지만."

축제를 너무 즐기잖아, 이 여자. 조용한 분위기와 달리 실은 축제를 좋아하나.

"마침 잘됐어. 잭, 잠깐 이리 와 봐."

"어? 응……."

"꾹~."

"으아?!"

순순히 다가가자 갑자기 베개를 안듯이 나를 끌어안았다.

말랑한 것에 얼굴이 묻혀서 숨을 쉴 수 없었다. 가, 가슴……?! 괴로워……!

"하아아…… 따뜻해……."

"수, 술 냄새……! 이봐, 스승님! 실은 꽤 취했지?! 보기에만 멀쩡한 거지?!"

"안 취했어."

"주정뱅이가 항상 하는 말이야!"

라켈은 나를 탕파처럼 안고서 걷기 시작했다. 나는 정령술까지 쓰며 힘껏 저항했으나 라켈이 간단히 제압해 버렸다. 하지 마~! 영주 아들의 얼굴을 가슴에 묻은 채 길 걷지 마~!

이윽고 축제 음악이 들려왔다. 어떻게든 라켈의 가슴골에서 얼굴을 드니 정령수 주위에서 춤추는 사람들의 모습이 보였다.

봉 오도리 같은 건데, 저렇게 춤춰서 정령에게 감사와 기도를 올리는 거였다.

라켈은 그걸 보더니 화톳불 옆에 앉았다. 물론 나를 껴안은 채로.

불빛이 파란 머리를 비췄고, 군청색 눈에서 검은 그림자가 춤췄다. 하아, 하고 술 냄새 나는 한숨을 쉬며, 라켈은 별로 재미있지도 않은 춤을 질리지도 않고 계속 바라보았다.

"……부럽다……."

아득한 목소리로 라켈이 중얼거렸다.

"너희는…… 자신의…… 자신만의, 인생을…… 살아가려고 해……."

"……뭐? 그거야 누구든 그렇잖아?"

실제로 그렇게 사는지와는 별개로. 자신의 인생을 살려고 하는 건 사람으로서 최소한의 존엄이다.

그렇기에…… 그걸 침해하는 자는 결코 용서받지 못한다.

라켈은 나를 힐끔 보고 말했다.

"너희는…… 정령술이 그걸 가르쳐 줘……."

원망하듯, 선망하듯.

"하지만 나는…… 남을 흉내 낼 수밖에 없으니까……."

길 잃은 아이 같은 미덥지 못한 목소리로.

"어디서 와서…… 어디로 가려고 하는지도…… 잘 모르겠어."

띄엄띄엄 자아내는 그 말이 너무 공허해서— 가슴이 먹먹해졌다.

허무와 암흑에는 큰 차이가 있다.

내 5년간은 그저 암흑이었다. 손으로 더듬는 것조차 허락되지 않았던 막다른 길이었다.

하지만 그래도 라켈의 공허함이, 그 허무가— 말에서 배어나는 체념이, 아무것도 못 했던 악몽 같은 나날을 한순간 연상시켰다…….
“……나는 오히려 스승님이 부러워.”
“어……?”
아득했던 군청색 눈이 깜빡이더니 내게 초점을 맞췄다.
반대로 나는 계속 눈을 피했다.
“80년이나 여행했잖아. 설령 정처 없는 여행이었다고 해도…… 당신은 그 다리로, 그 눈으로 세상을 봤잖아. 그건 분명 호사스러운 일이야.”
적어도 5년간 어두운 방밖에 몰랐던 내게는 그랬다.
“이 기회에 가르쳐 줘, 스승님. 당신이 어떤 곳에 갔었는지. 분명 온 세상을 찾아봐도 80년이나 여행한 사람은 스승님밖에 없을 테니까.”
라켈은 가만히 내 얼굴을 보다가 살포시 웃었다.
“……정말로 건방진 제자야.”
“악마 같은 스승보다는 낫지. —아야!”
라켈은 딱밤을 날리고서 안고 있던 나를 옆에 앉혔다.
그리고 멀리 높은 곳에서 별들이 빛나는 가을의 밤하늘을 올려다보았다.
“어떤 얘기를 듣고 싶어?”
“으음. 그럼 마침 축제니까, 다른 곳의 축제 얘기.”
“그래……. 대륙에서 멀리 떨어진 서쪽 섬에 처음 듣는 정령을 숭배하는 마을이 있었는데—.”

나는 이날 이후로 틈만 나면 라켈을 졸라서 80년에 달하는 그녀의 여행 이야기를 듣게 되었다.

귀여운 소꿉친구 및 거유 엘프 스승과 사이좋게 혼욕한 후 같이 자는 이야기

늑대의 강인한 다리가 땅에 쌓인 낙엽을 박찼다.

살을 에는 냉기를 의식에서 몰아내고, 나는 늑대의 근육이 움직이는 걸 느꼈다. 거센 강물 같은 힘의 유동. 그것이 한순간 첨벙 물결치듯 부풀었다.

—지금이다!

늑대가 급격히 오른쪽으로 꺾었다. 옆으로 가해진 G가 나를 격렬하게 휘두르는 일은 일어나지 않았다. 나는 미동 없이 등에 탄 자세를 유지한 채 늑대가 달리는 방향을 계속 주시했다.

전방의 지면이 갑자기 까매졌다.

그림자. 둥글다. —바위!

땅이 흔들리더니 낙엽이 물보라처럼 날아올랐다. 커다란 회색 바위였다. 갑자기 떨어진 왕바위가 나와 늑대의 앞을 막아선 것이다.

피할 시간은 없다. 멈추기에도 늦었다.

늑대의 머리가 단단한 바위와 격돌하는 순간.

나는 나 자신과 늑대를 부유시켰다.

그러면서 늑대는 바위에 이마를 댄 상태로 우뚝 정지했다.

바위가 앞을 막아서고 내가 정령술을 발동하기까지—.

약 0.5초였다.

"글렀어. 방금 그건 《현조》를 쓰면 피할 수 있었어."

늑대와 함께 돌아온 나를 맞이한 것은 스승님의 퇴짜였다.

"……스승님. 질문이 있는데."

"뭔데?"

"처음과 비교하면 세 배나 빨라졌으니까 조금은 칭찬해 줘도 되는 거 아니야?"

"옳지, 잘했네."

"개를 칭찬하는 방식이잖아!"

나는 머리를 쓰다듬는 손을 뿌리쳤다. 조금 기뻐진 자신이 한심하다…….

라켈과 함께 숲속 들판으로 돌아왔다. 쓰러진 라켈을 발견한 그 들판이었다. 숲속에서 훈련하는 일이 많아졌기에 최근에는 이곳을 거점으로 쓰고 있었다.

"아, 둘 다 어서 와~."

그루터기에 앉은 필이 우리를 돌아보았다.

필 앞에는 야생 토끼 무리가 있었다.

얼추 서른 마리는 됐다. 심지어 단순히 무리 지어 있는 게 아니었다. 군대처럼 대열을 이루어 일사불란하게 좌우로 행진하고 있었다.

"전군~~~~ 정지!"
필이 호령하자 전원이 우뚝 정지했다.
야생 토끼의 행진이라고 하면 동화적으로 들리지만, 어딘가 흉흉하게 느껴지는 모습이었다.
라켈이 그걸 보고 「……응」 하고 고개를 끄덕였다.
"지휘에 많이 익숙해졌어. 필, 훌륭해."
"헤헤~! 그치~?!"
"이봐! 필은 순순히 칭찬하는 거냐!"
"그야 필은 귀여우니까."
"후후~! 나 귀여워~♪."
"잭은 안 귀여워."
"지 군은 안 귀여워~♪."
편애다! 고용주(아빠)에게 일러바칠 거야!
라켈은 필과 한바탕 장난치고 나서 말했다.
"뭐, 농담은 이쯤 하고……. 둘 다 상당히 능숙해졌어. 특히 잭은 재능만 믿고 뻐기던 애송이였을 때와 전혀 달라."
그렇게 생각했던 거냐.
"그런고로…… 잭. 너에게 줄 선물이 하나 있어."
"선물?"
"그래. 앞으로 더 강해지기 위한 선물."
더 강해지기 위한…….
"아마 내일이면 줄 수 있을 거야. 기대해."

"와~ 뭘까~?!"

필이 나보다 더 즐거워하며 폴짝거렸다. 뭐, 이 녀석은 늘 즐거워 보이지만.

더 강해지기 위한 선물……. 젠장, 평범하게 설렌다. 라켈 주제에 멋있는 짓을 다 한다.

"그럼 오늘은 여기까지."

평소와 같은 담백한 선언을 끝으로 우리는 저택에 돌아갔다.

†

리버 저택의 응접실에서 두 남자가 마주 앉아 있었다.

잭의 아버지 칼럼 리버와 필의 아버지 체르노 포스포드였다.

"……또『진홍의 고양이』녀석들인가요."

"네……. 이걸로 이번 달에만 세 번째입니다. 우리 상회의 카라반도 하나 당했습니다."

두 사람의 표정은 매우 심각했다. 아이들 앞에서는 결코 보여 주지 않는 모습이었다.

"리버 경, 아무쪼록 부탁합니다. 이 이상은 간과할 수 없습니다."

"알고 있습니다. 내 영지 다임쿠르드에서 이 이상 멋대로 굶게 두지 않을 겁니다."

음성은 고요했으나 칼럼의 두 눈은 일찍이 정령술사로 활약했을 때의 눈으로 돌아와 있었다. ……즉, 사냥감을 정했을 때의 눈으로.

두 사람은 소파에서 일어났다. 슬슬 아이들이 돌아올 시간이었다.

칼럼이 응접실 문을 열자 복도에 바로 그 아이들이 있었다.

◆

응접실에서 나온 아빠가 우리를 알아차리고 발을 멈췄다.

"오오, 돌아와 있었구나. 오늘 수행은 끝났나?"

"네. 슬슬 추워지니까요."

라켈이 대답하고서 「그런데」 하고 덧붙였다.

"……방금 『진홍의 고양이』라는 말이 들렸는데요."

"음, 아는 건가? 라켈 씨."

"다른 지방에서, 소문을 들어서."

"그런가. 최근 이 근방에서도 활동하고 있는 것 같아. 아무쪼록 조심해."

"알겠습니다."

라켈과 아빠 사이에서는 대화가 성립했지만, 나는 이해가 잘 안되었다.

아까 응접실에서 뭔가 진지하게 이야기하는 것 같았는데, 그 얘기일까?

"저기…… 『진홍의 고양이』가 뭔가요?"

내가 그렇게 묻자 아빠는 「음」 하고 머뭇거렸다.

"그건……."

"유명한 도적단의 이름이야."

주저하는 아빠를 내버려 두고 라켈이 간단히 알려 줬다.

아빠가 놀라서 라켈을 보았다.

"……말해도 되는 건가? 그저 겁만 주게 될 텐데."

"지금 이 아이들의 실력이라면 확실하게 자신을 지킬 수 있어요. ……경계만 한다면요. 제대로 설명하는 편이 안전할 거예요."

"그런가. 그대가 그렇다면 그런 거겠지."

라켈은 아빠에게 고개를 끄덕여 주고서 허리를 숙여 나와 눈높이를 맞췄다.

"『진홍의 고양이』는 최근 몇 년간 라에스 왕국의 각지에서 날뛰고 있는 도적단이야. 규모는 대략 30명 전후라고 하고, 단순한 약탈부터 납치까지 뭐든 해. 기본적으로 근육질 남자들뿐이지만…… 두령은 정령술사로서도 일류인 여자야. 10년은 놀고먹을 수 있는 현상금이 그 목에 걸려 있어."

"흐응……."

정령술사 여도적인가…….

"어두운 시간에는 둘 다 절대 밖에 나가지 마. 낮에도 경계를 늦추지 말고. 만일 무슨 일이 생기면 반드시 우리한테 알려. 알았지?"

"알았어.", "네~!"

우리가 고분고분하게 대답하자 아빠와 포스포드 씨가 쓴웃음을 지으며 어깨를 으쓱였다.

"친아빠 체면이 말이 아니네."

"그러게나 말입니다. 완전히 라켈 씨가 부모 같아요."

"아…… 그게, 죄송합니다."

라켈이 당황하여 머리를 숙였다. 뭐, 늘 그렇듯 표정은 희미하지만.

"아니, 괜찮아. 우리는 일 때문에 같이 있어 주지 못할 때도 많아."

"네. 오히려 라켈 씨의 제자가 되고 난 뒤로 손이 덜 가게 되어서 고마울 정도입니다! 허허허!"

"앞으로도 아이들을 잘 부탁해, 라켈 씨."

"……감사합니다."

아빠는 미소 지으며 고개를 끄덕이고 나와 필 앞에 쭈그려 앉았다.

"그런고로 최근 흉흉해졌어. 오늘은 벌써 어두워졌으니 필리네 양도 아빠랑 같이 우리 집에서 자고 가렴."

"어? 자고 가도 돼?!"

필이 확인하듯 아빠를 보자 포스포드 씨는 온화하게 웃으며 고개를 끄덕였다.

"앗싸~! 자고 간다~!"

"으아?!"

필이 갑자기 내게 안겨 들었다. 습관적으로 【자립의 투익】을 발동하여 부드럽게 받았다.

"뭐 하고 놀까~?! 응? 지 군, 뭐 할까?"

"일단 떨어졌으면 좋겠어."

"뭐~? 싫어~."

"빽 비비적거리지 마!"

말도 지지리 안 듣는 말괄량이 같으니라고……!

"놀기 전에 씻어야 해."

라켈이 그렇게 선언하고 나한테서 필을 떼어 냈다.

"아직 안 씻어서 지저분해. 뭘 하든 목욕하고 나서."

"아, 그런가! 그럼 셋이 같이 목욕하자~!"

"뭐?"

이 녀석, 뭐라는 거야.

"아니아니, 나는 남자—."

"그래."

"그래?!"

스승님이 그러자고 하시는데요?

"아니, 저기…… 스승님? 저 남자인데요……."

"100년은 더 크고 나서 말해."

"엘프의 시간 감각으로 말하지 마!"

그런고로 셋이서 혼욕하는 것이 반쯤 강제적으로 결정됐다.

나는 후다닥 옷을 벗고 두 사람이 옷을 벗기 전에 욕실에 돌입했다.

두 여자와 같은 공간에서 옷을 벗는다는 행위를 참을 수 없을 것 같았고, 두 사람도 역시 수건으로 몸을 가릴 테니까 먼저 들어와 버리면 피해도 최소한으로 줄일 수 있었다.

허당이라고 비웃을 테면 비웃어라. 나는 전생을 포함해 약 30년간 여자 경험이 전혀 없…… 없…… 없…… 없다고는 할 수 없지만, 내 안에서 그건 노카운트다. 밸런타인 초콜릿도 가족한테 받는 건 노카운트니까 그것도 노카운트.

……안 좋은 기억을 떠올리고 말았다.

나는 나무통으로 뜨거운 물을 퍼서 머리에 쏟았다.

"와~! 넓다~!"

"필, 뛰면 안 돼. 넘어져."

"으아?!"

필이 넘어지는 소리가 나서, 나는 「또 저질렀구나」 생각하며 전혀 경계하지 않고 돌아보았다.

그 순간, 심장이 터질 뻔했다.

입구 쪽에서 타박타박 걸어와 넘어진 필에게 다가가는 라켈의 모습 때문에.

일순 실크 타월을 온몸에 두르고 있는 건가 싶었다. 그 정도로 희고 눈부신 그것은 처음 보는 라켈의 알몸이었다.

풀 오픈. 가리려고 하지도 않았다.

나는 자연스럽게 숨을 꼴깍 삼켰다. 온몸이 뻣뻣해지고 점점 뜨거워졌다. 심장 소리가 시끄러울 정도라서 당장에라도 망가질 것 같았다.

무의식적으로 시선이 발을 타고 올라갔다.

매끈한 종아리부터 보기 좋게 살이 붙은 허벅지, 그리고 순산형 엉덩이에 이르는 곡선은 백자 같은 피부와 어우러져 흡사 예술품 같았다. 미술관에 전시되어 있더라도 놀라지 않을 것이다.

거기서 더 시선을 올리자 모래시계처럼 잘록한 허리가 눈에 들어왔다. 군살이라고는 조금도 보이지 않는 납작한 배와 귀엽게 자리한 작은 배꼽. 거기에 시선을 빼앗긴 와중에도 시야 위쪽에 둥근 것이 얼핏 보였다.

괜찮을까? 봐도 될까? 아무한테도 안 혼날까? 천벌이 내리지 않을까?

몹시 주저하면서도 나는 시선을 드는 걸 그만둘 수 없었다.

두 개의 유방이 있었다.

라켈의. 멜론만 한. 푸르스름하게 혈관이 비쳤다. 걸을 때마다 부드럽게 출렁였다. 인공물처럼 봉긋했고. 분홍색 꽃잎이 콕—.

아으, 으아, 으아아아아아아아아아!!

뭐, 뭐야, 이거! 마그마 같은 것이 눈에서 뇌로 흘러들고 있어!

그건, 어딘가 그리운 감각이기도 했다. 그래, 맞아, 이건 태어나 처음으로 야한 이미지를 봤을 때의 느낌을 몇 배나 키운 듯한—.

그런가.

나는 진짜로 일곱 살이구나.

정신은 몰라도 신체는 완전히 일곱 살인 거다. 그리고 그런 욕구는 마음뿐만 아니라 몸의 영향도 강하게 받는지라.

"……? 왜 그래? 잭."

멍하니 있는 내가 이상했는지 라켈이 다가왔다.

출렁출렁 흔들리는 두 덩어리에 시선이 고정되어 무심코 손을 뻗어 버릴 것 같았다.

아, 안 돼, 안 돼, 안 돼, 진정해, 진정해!

출렁거리며 다가오는 그것이 두렵기조차 해서 나는 쌩하니 도망쳤다. 넓은 욕조에 다이빙했다. 뜨거운 물이 온몸을 감쌌으나 지금 내 몸과 비교하면 미지근하게 느껴졌다.

"뛰어들면 안 되지."

가볍게 주의만 주고 라켈은 의자에 앉았다. 먼저 몸을 씻으려는 것 같았다.

나는 욕조 가장자리에서 눈을 내밀고 그 모습을 빤히 엿보았다.

라켈은 물을 끼얹은 후 왼팔과 오른팔을 순서대로 씻었다. 그리고 다리로 가려나 싶었지만.

"영차……."

무거운 듯 자신의 가슴을 들어 올려 그 아래를 문지르기 시작했다!

으아, 으아으아, 으아아아아……. 손가락이 파고들었어. 물풍선처럼 모양이 물컹물컹 바뀌어. 저, 저렇게 되는구나…….

두근, 두근, 크게 뛰는 심장 소리를 들으며 나는 눈을 화등잔만 하게 떴다. 이제 망설임은 없었다. 매끄러운 피부를 타고 흐르는 물방울 하나하나를, 자세에 따라 형태를 바꾸는 모든 곡선을 망막에 새기겠다는 생각밖에 안 들었다.

각성이다……. 각성의 순간이다…….

인정하지 않을 수 없었다. 잭 리버는 라켈에 의해 성에 눈을 뜨고 말았다.

만약 사춘기가 되어서도 라켈과 함께 있다면 나는 어떻게 되는 거지……? 다감하고 혈기 넘치는 시기에 저런 게 옆에 있는데 과연 나는 버틸 수 있을까? 라켈은 엘프니까

내가 어른이 돼도 여전히 16~17세의 외모겠지…….

몸을 숙여 수면에 부글부글 거품을 만들고 있으니.

"—지 군, 왜 스승님을 보고 있어?"

펑펑한 대평원이 라켈의 모습을 가렸다.

나는 물 밖으로 입을 꺼내고 벌거벗은 일곱 살 여아—필의 얼굴을 올려다보았다.

"……수, 수행의 일환이야. 좋은 제자는 스승을 보고 훔치는 거야."

"흐응~? 그럼 나도 같이 할래!"

풍덩! 하고 옆으로 뛰어든 필은 나처럼 라켈이 씻는 모습을 관찰하기 시작했다.

"호오~ 흐응~? 그렇구나~."

"……뭔가 훔쳤어?"

"스승님은 어른이야~ 가슴이 커~."

"……그렇지."

저렇게 큰데 옷을 입으면 말라 보이는 게 대단하단 말이야. 평소에는 투박한 로브를 입어서 몸매가 두드러지지 않기에 벗었을 때의 임팩트가 굉장하다고 할까.

"……으음?"

필이 갑자기 의아해하는 소리를 내서 옆을 보았다.

그 순간, 욕조에 들어와 있는데도 불구하고 식은땀이 왈칵 솟았다.

필이 목욕물 속을 보고 있었기 때문이다.

"으으음……?"

모르겠다는 듯 필이 고개를 갸웃했다. 마치 전혀 알지 못하는 미지와 마주한 듯한 얼굴이었다.

"—있지! 스승님~!"

대처하려고 했을 때는 이미 늦은 뒤였다.

"지 군의 다리 사이에 막대기 같은 게 있어~ 이거 뭐야~?"

흥분해서 올라갔던 체온이 순식간에 급강하했다.

라켈도 멈칫했다가 천천히 돌아보았다.

라켈이 깊은 바다 같은 눈을 크게 떴다. 이번에는 수치심으로 체온이 오르는 걸 느끼며 나는 다시 시선을 피했다. 이때 본능적으로 고간을 손으로 가리고 말았지만, 내 무덤을 팠다는 걸 곧장 깨달았다.

시야 끄트머리에서 엘프 특유의 길고 뾰족한 귀가 새빨갛게 물들어 갔다.

……귀, 귀여워…….

주제넘게도 그런 생각이 들어서 더더욱 수습이 안 되었다.

"음???"

여전히 의아한 모습인 필을 남겨 두고 나와 라켈은 민망해했다. 그러나 역시 스승은 스승이라서, 민망한 분위기를 타파하기 위해 라켈이 먼저 떨리는 목소리로 말을 꺼내 줬다.

"……잭. 필한테 설명해 줘."

나한테 맡기는 거냐!

"……싫어. 그런 교육도 스승이 할 일이지 않을까요?"

"……왜 그런 심술궂은 말을 해? 그런 아이로 키운 적 없어."

"풍부한 경험을 인정받고 고용된 거잖아. 그걸 가르쳐 주면 돼."

라켈은 무뚝뚝하게 입을 다물었다.

"……그런 경험, 없는데……."

그러나 욕실이기에, 토라진 듯한 중얼거림은 잘 울렸다.

……흐응, 없구나. 뭐, 어느 쪽이든 상관없지만.

라켈은 포기한 듯 한숨을 쉬더니 몹시 망설이는 기색으로 말했다.

"……필, 잠깐 이리로."

"흐에? 네~!"

"잭은 내일 기초 메뉴 다섯 배야."

"뭐?! 어째서?!"

"스승님을 추잡한 눈으로 본 벌."

비통하게 외치는 나를 내버려 두고서 라켈은 필에게 소곤소곤 교육을 실시했다.

"오늘은 지 군이랑 스승님이랑 셋이서 잘 거예요!"

저녁 먹고 이루어진 필의 힘찬 선언으로 셋이 같이 자게 되었다.

메이드들이 침대를 준비해 주고 방을 나갔다.

"정말로 세 분은 사이가 좋으셔."

"맞아! 마치 남매 같아."

"잭 님은 나중에 라켈 님이나 필리네 님을 아내로 맞이 하시려나?"

"필리네 님이겠지. 라켈 님은 연상이잖아."

"바보구나. 라켈 님은 엘프니까 앞으로 몇 년만 지나면 잭 님이 따라잡아."

"어떤 분과 결혼하시든 분명 미남미녀 부부가 될 거야~!"

메이드들이여, 다 들린단다. 좀 더 멀리 가서 떠들어.

하지만 새삼 메이드들의 수다를 나무라지는 않았다. 저건 메이드들의 공통된 취미였다.

필이 제일 먼저 침대에 풀썩 뛰어들었다.

"푹신푹신~♪ 지 군이랑 스승님도 얼른 와~!"

"곧 자려는 녀석답지 않게 기운이 넘치네……."

나는 쓴웃음을 지으며 침대에 들어갔다.

이어서 라켈도 들어와 나란히 누웠다. 키 큰 라켈이 가운데였다.

"불 끈다."

가까이 있던 내가 침대 옆의 램프를 껐다.

캄캄해졌다. 창문으로 희미하게 들어오는 달빛만이 실내를 은은히 비췄다.

"후후~♪ 스승님 따뜻해~♪."

나는 라켈과 조금 거리를 두고 있었지만 필은 꼭 붙어 있었다.

정말로…… 부모와 자식 같았다.

그렇게 생각하니 머릿속이 욱신거렸다.

기억 같은 광경이 감은 눈 앞에서 깜빡거렸다.

어릴 적— 내가 정말로 일곱 살이었을 때.

나랑 엄마랑— 동생이 셋이서 같이 잤을 때의 기억.

"……스승님."

부끄러움이라 불리는 감정이 순간적으로 날아갔다.

"조금 더 가까이 가도…… 될, 까?"

말하고 나니 창피해져서 라켈의 얼굴을 볼 수 없었다.

하지만…… 어쩐지 웃어 준 것 같았다.

"……응. 그래도 돼."

나는 천천히 몸을 붙이고 라켈의 가느다란 몸을 팔로 안았다.

……따뜻해. 안심돼…….

라켈의 부드러운 몸에 얼굴을 푹 묻고 그 달콤한 향기를 마셨다. 저지르고 난 다음에 완전 변태 같은 짓이라는 걸 깨달았지만, 흥분되기는커녕 오히려 마음이 차분해졌다.

그 온기를, 향기를, 더더욱 갖고 싶어졌다. 어떻게 하면 더 괜찮게 안을 수 있을지 모색하며 이리저리 팔을 움직이고 있으니.

"—앙."

작은 목소리로 라켈이 울었다.

말했다기보다 울었다는 느낌이었다.

깜짝 놀랐지만, 차분히 상황을 파악하니 내 탓이었다.

어느새 나는 라켈의 커다란 가슴을 꽉 움켜잡고 있었다.

아마 잡기 편해서 그랬을 거다.

조심조심 시선을 드니 가늘어진 눈이 나를 보고 있었다.

"……발랑 까진 꼬맹이."

한 번 더 주무르면 어떻게 될까 하는 생각도 들었지만, 역시 이런 말을 들으니 두 번은 할 수 없었다.

라켈은 작게 웃고서 굳어 있는 나를 끌어안았다.

그리고 귓가에 속삭였다.

"내일 기초 메뉴 열 배."

"으엑!!"

봐, 봐주세요…….

"아~! 둘이서 즐거워 보여~!"

반대편에 있던 필이 라켈을 타고 넘어와 우리 둘 사이에 끼어들었다.

"둘이 무슨 얘기 했어?"

“잭이 내 가슴을 만졌어.”

“우와~ 지 군, 야해~.”

“일부러 그런 거 아니에요…… 정말이에요…….”

혼자만 남자인지라 눈치가 보였다.

“내 가슴은 얼마든지 만져도 돼! 자, 만져!”

“……으음. 갈비뼈의 감촉이 좋네.”

“꺄우으! 간지러워~!”

필을 간지럽히며 놀고 있으니 라켈이 소리 없이 미소 지었다.

“뭔가…… 좋네. 소꿉친구라는 거.”

“응?”

“너희는 앞으로 같은 속도로 성장하여 함께 인생을 살아갈 거야. 그런 건 뭔가…… 굉장히 좋아.”

그렇게 좋은 건가. 별로 와닿지 않았다. ……전생에도 소꿉친구가 있었기 때문일까.

“스승님도 소꿉친구야~! 왜냐하면 단짝이니까!”

필이 라켈을 꼭 안으며 말하자 라켈도 언니처럼 미소 짓고 작은 몸을 마주 안았다.

“그렇지. 우리는 단짝이니까.”

“응! 스승님도 지 군도 정말 좋아!”

“필은 잭의 어떤 부분이 좋아?”

“어? 으음, 으음~ 간식 나눠 주고~ 같이 산책해 주고~

달리기 경주해 주는 것도 좋고~."

"전부 애완견 같은 이유네……."

나는 너의 주인이 아니야. 신출귀몰한 점은 굳이 따지자면 고양이지만.

"그리고, 그리고…… 나한테만 무척 상냥해서 좋아."

불현듯 고동이 흐트러졌다.

그 목소리에서만…… 뭐랄까, 교태 같은 게 느껴졌다.

라켈은 미소 짓고서 나를 보았다.

"확실히 잭은 필한테 무른 구석이 있어."

"그치? 그치?"

"그런가……? 자각은 없는데……."

그저 내가 필의 억지에 접어줄 뿐인 것 같은데.

"그럼 필은 크면 잭과 결혼할 거야?"

스승님이 장본인 앞에서 매우 직설적인 질문을 하셨다.

어린아이도 겸연쩍음을 느낄 때가 있다고요!

"어어…… 저기…… 그게 말이지……?"

필은 드물게도 시원하게 말하지 못했다.

힐끔힐끔 나를 보며 입을 우물거렸다.

그리고…… 어두워서 잘 안 보이지만— 얼굴이 빨개졌어?

말괄량이 필이? 부끄러워서?

필은 한동안 입을 다물고 끙끙대다가— 이내.

"…………응."

하고— 모깃소리 같은 가냘픈 목소리로.
하지만 분명하게 대답했다.
"……그렇구나. 그럼 훌륭한 아내가 되기 위해 힘내자."
"응!"
"잭도 훌륭한 남편이 될 수 있게 힘내."
"어, 네."
……어라? 어쩌다 보니 결혼하게 된 것 같은데?
"에헤헤~♥."
필은 기쁜 듯, 혹은 낯간지러운 듯 수줍어했다.
……뭐, 상관없나.
나는 소꿉친구의 웃는 얼굴을 보고 그렇게 생각하기로 했다.

현실과 꿈 사이를 오가던 나를 작은 목소리가 현실로 데려왔다.
"(지 군, 지 군.)"
천천히 눈을 뜨니 코앞에 필의 얼굴이 있었다.
아까 그런 얘기를 하기도 해서 자연스럽게 심장이 뛰었다.
"너! 가깝……!"
"(쉿~.)"
필은 입 앞에 검지를 세웠다가 라켈을 가리켰다.

풍만한 가슴이 규칙적으로 오르내리고 있었다. 자는 모양이다.

라켈을 깨우지 말라는 건가?

필이 담요 속으로 숨어들어 내 잠옷을 쭉쭉 잡아당겼다.

나도 들어오라고? 뭐, 비밀 얘기를 할 거면 담요 속이 낫나.

나도 담요 속으로 숨어들었다.

당연하지만 캄캄했다. 나와 라켈과 필의 체온으로 꽤 더웠다. ……하지만 지금은 더 가까이 있는 필의 온기가 특히나 강하게 느껴졌다.

어둠 속에서 숨소리가 들렸다.

뜨뜻미지근한 공기가 정기적으로 내 입술에 닿았다.

필의 숨이었다.

어둠에 눈이 익자 불과 몇 센티미터 앞에 있는 필의 얼굴이 보였다.

"(조용히.)"

필은 소곤소곤 말했다. 필이 말할 때마다 축축한 숨이 입술에 닿았다.

"(뭐, 뭔데. 뭐 할 얘기라도 있어?)"

나는 내심의 동요를 감추고서 말했다.

……진정해. 상대는 일곱 살 아이잖아.

나도 일곱 살이니까 평범한 반응일지도 모르지만.

"(어어, 그게 말이지?)"

필이 입술을 움직일 때마다 내 입술과 닿을 것 같아서, 내 집중력의 절반 정도는 거기에 쏠리고 말았다.

"(스승님이 지 군한테 선물을 줄 거라고 했잖아?)"

"(어, 응. 그랬지.)"

"(그래서 생각났는데…… 우리도 스승님한테 뭔가 선물하면 어떨까?)"

"(선물?)"

"(응.)"

이 녀석, 그런 생각을 한 건가.

평소에는 남의 반찬과 과자를 뺏어 먹기만 하면서.

"(괜찮을 것 같은데? 스승님도 좋아할 거야.)"

"(앗싸! 그럼 다음 휴일에 같이 사러 가자.)"

"(그래, 좋아.)"

"(약속한 거야!)"

새끼손가락을 내밀었기에 내 손가락을 걸었다.

그리고 작게 흔들고 뗐다.

이 비밀 얘기도 그걸로 끝—.

"(……있지, 그리고.)"

조금 아쉽다고 느낀 순간, 필이 말을 이었다.

"(아까…… 그, 말했었지……?)"

"(뭐, 뭘……?)"

"(훌륭한 아내가 될 수 있게 힘내겠다고. 훌륭한 남편이 될 수 있게 힘내겠다고.)"

"(뭐, 그랬지.)"

내가 어색하게 고개를 끄덕이자 필은 쭈뼛거리며 이리저리 시선을 옮겼다.

"(그러니까, 그게, 메이드한테 들었는데…….)"

무슨 일이 일어났는지 나는 일순 이해하지 못했다.

어둠 속에 어렴풋이 떠오른 필의 얼굴이 갑자기 가까워졌고—.

"(……에헤. 에헤헤.)"

얼굴을 뗀 필은 얼버무리듯 수줍어했다.

"(『부부』는 이래야 한다고 했어…….)"

"(이래야 하는 건가…….)"

"(으, 응. 이래야 해…….)"

아무 생각도 할 수 없었다.

정신이 들었을 때, 나는 스스로 필에게 얼굴을 들이밀고 있었다.

1센티미터 앞에서 필이 긴 속눈썹을 팔랑거렸다. 나는 몇 초 있다가 얼굴을 떼고 변명하듯 속삭였다.

"(이래야만 하는 거잖아……?)"

"(그, 그렇지…….)"

입술에 닿는 숨이 일순 끊겼다. 대신 더 따뜻한 것이 쪼듯이 닿았다. 필의 커다란 눈이 스르르 감겼다가 번쩍 뜨여 장난스럽게 반짝이며 내 눈을 들여다보았다.

"(이래야만 하니까…….)"

"(그렇지…….)"

담요 속 어둠에서.

세 사람분의 체온에 휩싸여.

서로의 날숨으로 습한 가운데.

바로 옆에서 자는 라켈이 깨지 않도록—.

이것이 나의.

이번 생의 첫 키스였다.

인간만사 새옹지마

―눈이 내렸다.

집들의 지붕은 하나같이 하얗게 물들고, 멀리 보이는 산은 마치 커다란 빙수 같았다.

전봇대 밑에 쌓인 하얀 눈이 이때의 나에게는 무척 맛있어 보였지만, 역시 열 살쯤 되면 그걸 먹지 않을 만한 분별력은 있었다.

『완성~!』

눈사람의 몸통에 손이 될 나뭇가지를 푹 꽂고 소녀가 말했다.

그 옆에는 일곱 살 먹은 동생이 있었다. 소녀에게 반쯤 강제 동원되어 눈사람 만들기를 도운 거였다.

『어어, 그럼 완성을 축하하며…… 만세~! 만세~!』

소녀는 텔레비전으로 본 것을 곧장 따라 하는 버릇이 있었다. 오늘은 선거에 이긴 정치가 흉내였다. 늘 뜬금없기에 대체로 누구도 받아 주지 않았다. 이번에도 그랬다.

소녀는 고개를 갸웃하고서 동생의 양손을 잡았다.

『자, ××. 만세~! 하는 거야.』

『……만세~?』

『그래그래. 만세~!』

『만세~!』

그리고 두 사람은 함께 까르르 웃었다.

그런 두 사람을 나는 몸통밖에 없는 눈사람에 기대 바라보고 있었다.

눈사람 만들기 경쟁은 소녀와 동생 연합군의 압승으로 끝났다…….

—그것은 닳아 해진 기억의 단편.

—악몽 저편으로 사라진, 행복했을 적의 추억.

◆

짹짹짹, 새가 경쾌하게 지저귀고 있었다.

"……눈부셔……."

눈꺼풀을 찌르는 빛을 몰아내듯 나는 손으로 눈을 비볐다.

……아침인가……. 뭔가 굉장히 그리운 꿈을 꾼 것 같다…….

"응…… 으응……."

목소리가 들려서 고개를 돌리니 바로 옆에 필의 얼굴이 있었다.

속눈썹이 움찔거리고 서서히 들렸다.

커다란 눈이 코앞에서 멍하니 나를 바라보았다.

"……지 군……?"

"안녕."

"안녕. ……아."

인사하고서 필이 갑자기 얼굴을 붉혔다.

담요를 끌어당겨 입가를— 입술을 가렸다.

그 행동을 보니 어젯밤 자기 직전에 했던 일이 떠올라서 나도 얼굴이 뜨거워졌다.

"……에헤헤."

필은 그런 나를 보고 안심한 것처럼 헤실거리며 힘 빠진 미소를 지었다.

나는 창피해져서 눈을 돌렸다. ……아아, 젠장. 얼굴도 제대로 못 보겠다.

"—둘 다 잘 잤어?"

심장이 입 밖으로 튀어나올 뻔했다.

창가 의자에서 라켈이 머리를 빗고 있었다. 먼저 일어나 있었는지 잠옷이 아니라 늘 입는 로브 차림이었다.

나랑 필은 허둥지둥 몸을 일으켰다.

"조, 좋은 아침……이에요, 스승님."

"응. 왜 아침부터 존댓말이야?"

"아, 아니, 그냥……."

"흐응."

그렇게 말하고 라켈은 나와 필을 흘겨보았다.

"둘 다 정말로 사이가 좋아."

"""어?"""

"내가 일어났을 때, 너희 손잡은 채 자고 있었어."

"어, 아, 그건……."

필이 내 잠옷 자락을 잡아당겼다.

"(비밀!)"

……그야 뭐, 자고 있는 당신 옆에서 질리지도 않고 계속 쪽쪽거렸다는 말은 못 하지.

딱히 내 대답을 기다리지는 않았는지 라켈은 머리를 다 빗고 일어났다. 파란 머리가 아침 햇빛을 투과시키며 커튼처럼 사르르 흔들렸다.

"그럼 나는 갈게. 두 사람은 조금 더 자도 돼."

"아, 응. 알았어."

"그럼 이만."

그렇게 말하고 라켈은 방을 나갔다.

달칵, 문이 닫혔다.

방에 남겨진 나와 필은 서로의 얼굴을 보았다.

"……저기."

"응."

"아…… 하하하."

"헤헤헤."

서로 의미 없는 말을 하고 의미도 없이 웃었다.

어젯밤에 있었던 일은 솔직히 꿈처럼 모호했다.

어제 낮까지 필을 그런 대상으로 봤었는지조차 애매한데, 그때만큼은 필이 너무너무 예뻐 보여서 참을 수가 없었다.

……실제로 지금도 그 기분이 조금 남아 있었다.

잔향처럼.

뒷맛처럼.

"……필."

"아으. ……지 군?"

어느새 나는 필의 뺨에 한쪽 손을 올리고 있었다.

필의 부드러운 머리카락을 손가락에 얽었다.

어젯밤에는 줄곧 존재했던 감촉이 지금은 없었다. ……그 차이가 가려울 만큼 안타까웠다.

"아~ 그게……."

역시 허락은 받는 편이 좋겠지……? 하지만 뭐라고 말해야…….

"에헤헤."

내가 망설이고 있으니 필이 수줍게 웃었다.

"해도 돼."

심장이 아프도록 뛰었다.

필의 긴 속눈썹이, 맑은 눈이— 발그레해진 뺨이, 촉촉해 보이는 입술이.

—모든 것이 빛나 보였다.

아.

나는…… 이 녀석을 좋아한다.

침을 한 번 삼키고서 천천히 얼굴을 가져갔다.

필이 눈을 감았기에 나도 황급히 감았다.

필의 온기가 느껴지고 습한 숨이 반쯤 벌어진 입술에 닿았다.

그리고—.

"미안, 까먹고 말 안 한 게 있었어."

—방문이 열리는 소리와 함께 우리는 홱 물러났다.

나는 그대로 침대에서 굴러떨어져 바닥에 등을 세게 부딪쳤다.

"……뭐 해? 잭."

문을 연 라켈이 어이없다는 눈으로 나를 내려다보았다.

"아, 아니, 잠이 좀 덜 깨서……."

"해이해졌어. 내가 암살자였으면 이미 죽었어."

"죄, 죄송합니다……."

『해이함』 중에서도 궁극의 해이함이었기에 말대꾸할 수 없었다.

"스, 스승님~! 깜빡한 말이란 건 뭐야~?"

필이 끼어들어 도와주자 라켈도 「아, 그래, 그거」 하고 이야기를 되돌렸다.

"급한 일이 생겨서 오늘 오전 수행은 쉴 거야."

"급한 일?"

내가 몸을 일으키며 묻자 라켈이 고개를 끄덕였다.

"어제 말한 선물. 준비된 모양이니 받아 올게. 오후에는 돌아올 테니까 그때까지 놀아도 돼."

「그럼」 하고 말하고서 라켈은 이번에야말로 떠났다.

선물인가……. 뭘까?

"지 군."

고개를 갸웃하고 있으니 여전히 침대 위에 앉아 있는 필이 나를 불렀다.

필은 시선을 가만두지 못하고 밤색 머리를 손으로 만지작거리며 나를 힐끔 보았고.

"……한 번 더, 다시 할래?"

난처한 듯 웃으며 작게 고개를 기울였다.

라켈이 오기 전에 하려고 했던 일이 떠올라서 얼굴이 다시 뜨거워졌다.

다시 하고 싶냐고 묻는다면 다시 하고 싶지만…… 그걸 다시 처음부터…… 아~ 으…….

"……다, 다음에 하자……."

얼굴을 돌리며 간신히 그렇게 말하자 필은 부끄러운 듯

수줍어했다.

"알았어. ……다음에 하자."

고작 하루 만에. 고작 하룻밤 만에. ……이렇게나 달라 보일 수 있나.

이제 필이 무슨 말을 하든 두근거렸다.

"—아, 그래!"

갑자기 필이 크게 외치며 침대에서 뛰어내렸다.

"스승님이 오전 수행은 쉰다고 했지? 그럼 지금 가자!"

"가자고?"

"잊어버렸어? 스승님한테 줄 선물, 같이 사러 가자고 했잖아!"

아아…… 그런 얘기도 했었지. 그 후 일어난 일이 너무 강렬해서 깜빡했다.

"좋아, 갈까. 스승님도 마침 선물을 가지러 갔고, 서로 교환하면 되겠다."

"좋았어! 가자~!!"

필은 완전히 평소처럼 돌아와 그렇게 선언했다.

—그로부터 약 여섯 시간 후.

나는 차가운 돌바닥 위에서 깨어났다.

"으…… 윽……!"

천천히 몸을 일으키며 뒤통수를 문질렀다. 얼얼했다. 뭐에 부딪친 걸까? 그 탓인지 직전의 기억이 애매했다.

뭐지……? 나는 왜 이런 바닥 위에서 자고 있었지……?

"으응……."

옆에서 목소리가 들렸다. 살펴보니 필이 쓰러져 있었다.

"필?! 야, 괜찮아?!"

"아야야……. 어라? 지 군……?"

황급히 상체를 안아 들자 필은 멍한 얼굴로 나를 올려다보았다.

……다치지는 않은 것 같다. 다행이야…….

"지 군…… 여기, 어디야……?"

필이 주위를 둘러봐서 나도 마침내 주변이 눈에 들어왔다.

우리가 깨어난 곳은 싸늘한 석조 감옥이었다.

그래, 감옥. 눈앞에는 쇠창살이 있었고, 그 너머에는 어두운 복도가 가로지르고 있었다.

쇠창살의 반대편에는 채광용인지 환기용인지 모를 작은 창이 있었다. 다만 천장 가까이 있어서 우리는 목말을 태워도 닿지 않을 것 같았다. 심지어 튼튼해 보이는 창살이 끼워져 있었다.

반지하 돌감옥—?

"……깨어났구나."

혼란에 빠져 있는데 갑자기 새로운 목소리가 들렸다.

돌아보고 나도 모르게 숨을 삼켰다. 감옥 구석의 어둠 속에서 우리 또래의 아이들이 몇 명이나, 마치 욕실의 곰팡이처럼 뭉쳐서 무릎을 끌어안고 있었기 때문이다.

우리에게 말을 걸어온 것은 선두에 있는 하얀 피부의 소년이었다. 나는 그 소년에게 물었다.

"너희는……? 대체 여긴 어디야?"

"기억 안 나……? 끌려왔을 때 일……."

끌려왔을 때……? 나는 직전의 기억을 뒤졌다. 머리 안쪽이 욱신거리고, 애매모호했던 기억이 점차 선명해졌다.

아아…… 그랬지……. 나랑 필은 거리로 나갔었다. 둘이서 여러 가게를 돌고…… 아마 네 번째로 들른 가게에서 머리 장식을 샀을 것이다. 둘이 용돈을 합쳐서—.

그리고 저택에 돌아가려고 지름길로 들어갔다.

인적 없는 뒷골목을 지나려고 했다. 그러자 갑자기 인기척이 났다. 라켈의 수행 덕분에 나는 반사적으로 경계 태세에 들어갔지만 한발 늦었다.

직후, 쿵! 하고 뒤통수에 충격이 가해졌고…… 지금에 이르렀다.

"……그렇구나……."

나는 이마를 짚고 인상을 썼다.

"우리는 납치당했나……."

"낙지 당했어?"

필이 어리둥절해하며 고개를 갸웃했다. 그걸 그렇게 듣냐.

"어제 스승님이 『진홍의 고양이』라는 도적단을 조심하라고 했잖아? 아마 그 녀석들에게 잡혀 왔을 거야."

"—아! ……기, 기억하고 있었어!"

"너 거짓말 너무 못하잖아."

"치이……. 내 탓 아니야. 지 군 때문이야."

"어째서."

"어젯밤부터 머릿속이 지 군으로 꽉 차 있단 말이야!"

"……아, 아~."

지금 그 얘기 다시 꺼내는 거야?!

"……그럼 어쩔 수 없네."

"그치? 그치?"

나도 솔직히 들떠 있었으니 필을 탓할 수는 없었다. 평소와 같은 정신 상태였다면 일이 이렇게 되지는 않았을 거다. 마치 벌이라도 받은 것 같았다.

……독기가 빠져 버렸지만, 어쨌든 좋지 않은 상황이었다.

그렇다고 절망적인 수준도 아니지만.

라켈에게 이런저런 훈련을 받기도 했고, 내 고유의 **경험치**가 이때만큼은 유용하게 작용했다. 의외일 정도로 머리가 차분했다.

여하튼 정보가 필요했다. 나는 아까 말을 걸어온 소년을 다시 보았다.

"저기. 너희도 납치당한 거야?"

"……응."

소년이 고개를 끄덕였다.

"갑자기 습격당해서 영문도 모른 채 이리로 끌려왔어. 다른 애들도 대체로 비슷해……. 벌써 일주일이나 여기 있는 아이도 있어."

감옥에 갇혀 있는 아이는 나와 필을 제외하면 대략 열 명 정도였다. 다들 옷차림이 지저분하지만, 일단 밥은 주는지 굶주린 것 같지는 않았다.

다만…… 팔이나 다리, 혹은 눈 등에 붕대를 감고 있는 아이가 여럿 있었다.

내가 잘못 본 게 아니라면…… 붕대가 둘둘 감겨 있는 팔이나 다리에는 끝부분이 없었다. 잘린 것이다. 붕대에는 피가 배어나 있어서, 예전에 사고로 잃었다든가 선천적으로 손발이 없다든가 하는 분위기는 아니었다.

명백하게, 잘린 지 얼마 안 된, 생생한…… 신선한 상흔이었다.

"저기…… 다들 왜 다친 거야……?"

"……그건……."

소년이 말하기 껄끄러워하며 입을 열었을 때였다. ―복도에서 발소리가 들려왔다.

"푸…… 『품평』하러 왔어……!!"

소년이 떨리는 목소리로 말함과 동시에 다른 아이들도 덜덜 떨며 두려워했다.

뭐지……?『품평』?

발소리가 점점 가까워지더니 머지않아 그 주인이 쇠창살 너머에 나타났다.

"흐응~? 들은 대로 꽤 좋은 집에서 자란 것 같은 애송이네."

그 녀석은 쇠창살 너머에서 나와 필을 보고 그렇게 말했다.

여자였다. 나이는 한 서른쯤일까?

붉은빛이 도는 머리가 여기저기 뻗쳐 있어서 야생 호랑이 같은 거친 느낌을 줬다. 노출이 많은 옷 사이로 잘 단련된 근육이 엿보였다. 이걸 보고서 여자라고 얕보는 녀석은 없을 것이다. 곰과도 싸울 수 있을 것 같은 육체였다.

『진홍의 고양이』의 두령은 정령술사로서도 일류인 여자라고 어제 라켈이 말했다.

그렇다면 이 녀석이…….

"흐음~? 흠흠."

두령은 나와 필을 거침없이 훑어보았다.

아까 소년이 했던 말이 그제야 납득이 갔다.

그렇군. 이건『품평』이다.

"둘 다 제법 상등품이잖아. 뭐, 어린애는 죄다 똑같이 생겼지만. 흐응……. 역시 귀족 집 자식이야. 비싸게 팔리겠어."

내가 귀족이란 걸 알고 있어……? 옷차림을 보고 판단했나?
두령은 뒤에 있는 남자를 돌아보았다.

"이봐, 너. 다른 녀석들에게 전해. 오늘의 『카지노』를 시작한다고 말이야!"

"오호! 오늘은 몇 명인가요?"

"이 신입 둘과…… 흠, 한 명 정도 더 있으면 좋겠는데."

두령이 감옥 안을 둘러보자 아이들의 공포가 커지는 게 느껴졌다.

……『카지노』? 이런 허름한 감옥이 있는 곳에서?

두령은 아이들을 대강 훑어보더니 앞쪽을 대충 가리켰다.

"저 녀석으로 하자. 이렇게 세 명이다."

"……어……?"

지목당한 것은 우리에게 말을 걸었던 소년이었다.

소년이 멍하니 입을 벌렸다. 마치 입으로 혼이 빠져나가는 것처럼 보였다.

시간이 지날수록 소년의 얼굴에서 표정이 사라졌다. 안색은 창백한 걸 넘어 새하얘졌고, 그 후 남은 것은 빈껍데기 같은, 알기 쉬운—.

"시…… 싫어……. 싫어……. 싫어어어어어어어어어어어어어어어어어어어어어어어어!!"

소년이 갑자기 날카롭게 외치더니 쇠창살에 매달렸다.

그리고 눈물 콧물로 범벅이 된 얼굴로 두령을 향해 손을 뻗어 필사적으로, 필사적으로 간청했다.

"제…… 제발 부탁드려요……!! 뭐, 뭐든…… 뭐든 할게요……!! 『카지노』만은…… 『카지노』만은 제발……!!"

"시끄러워."

그 순간, 나는 눈이 휘둥그레졌다.

소년이 갑자기 뒤로 날아갔기 때문이다.

무, 무슨 일이 벌어진 거지?

두령이 주머니에 손을 찔러 넣는 건 보였다. 하지만 그것뿐이었다. 그게 다였다. 그런데 쇠창살 안에 있는 소년이 날아갔다. 마치 총에 맞기라도 한 것처럼!

……정령술? 그렇다면 무슨 정령술이지……?!

몸을 웅크린 채 훌쩍훌쩍 흐느끼는 소년을 방치하고서 두령은 나를 보았다.

"……너, 굉장히 냉정하네. 안 무서워? 아니면 아직 상황을 이해 못 한 굼벵이인가?"

나는 무시하려고 했지만— 생각이 바뀌었다.

"할망구 냄새가 진동을 해서 말이야. 숨을 참느라 정신이 없어."

그렇게 말하며 비죽 웃자 두령이 한쪽 눈썹을 움찔했다.

"……누가 뭐 어쨌다고?"

"머리 좀 쓰지? 당신 말고 또 누가 있어? 마귀할멈. 아, 이건 『마귀 같은 고약한 냄새가 나는 할망구』의 준말이야."

아, 뒤에 있는 조무래기가 무진장 겁먹었다. ……아무래도 성공했나 보네. 나는 흡족하게 웃었다.

그 순간, 두령이 돌바닥을 쾅 걷어찼다.

그때 이미 내 몸은 옆으로 날아가 벽에 부딪친 상태였다.

전혀 다른 방향에서 충격이……?!

머리를 부여잡고서 웅크린 나를 내려다보며 두령이 바닥에 침을 뱉었다.

"똑똑히 기억해 둬, 망할 애송이. 나는 도적단 『진홍의 고양이』의 두령, 『피투성이 암표범』 비키다. 나를 우롱한 녀석은 반드시 자신의 새빨간 피를 보게 돼. 애새끼여도 마찬가지야."

그 말을 내씹고서 『피투성이 암표범』 비키란 녀석은 부하를 데리고 떠났다. 별칭 한번 촌스럽네.

발소리가 완전히 사라지자, 몸을 말고 웅크린 내게 필이 달려왔다.

"지 군! 괜찮아?!"

"괜찮아."

나는 천연덕스럽게 말하고 일어났다.

필이 「흐에?」 하고 얼빠진 소리를 냈다.

"안 아파……?"

"아플 리가 없잖아. 맞기 직전에 나를 부유시켰으니까. ……설마 눈치 못 챘어?"

"누…… 눈치채고 있었어~."

"거짓말이 너무 서툴다고."

라켈의 기습으로 단련 받은 몸이다. 때릴 것을 아는— 아니, 일부러 때리도록 만든 공격을 막지 못할 리가 없다.

나는 관자놀이 주변을 문질렀다. 그 감촉…… 걷어차인 건가? 하지만 그 여자— 비키의 발은 돌바닥을 찼을 뿐이다. 무엇보다 발이 쇠창살을 통과할 수 있을 리가 없다.

"그보다도."

알 수 없는 것은 일단 보류했다.

"필, 너 용케 얌전히 있었네. 그 두령보다도 네가 괜한 짓을 하진 않을지가 더 무서웠는데."

"으…… 그치만 무서워서……."

"……너도 무서운 게 있어?"

"있어~!"

필은 뾰로통하게 뺨을 부풀려 화났다고 어필했다.

이 녀석한테도 공포라는 감정이 있었다니. 오늘의 가장 큰 발견일지도 모른다.

"그보다 필."

"우우."

"삐져 있지 말고 얘기를 들어."

부풀린 뺨을 양손으로 눌러서 꺼트렸다. 필의 입에서 공기가 푸슉 빠져나갔다.

"얼른 스승님과 부모님에게 연락하자. 여기 도적의 아지트가 있다고 말이야."

"알았어~♪."

"뭐……?!"

놀란 목소리를 듣고 돌아보았다.

다른 아이들이 전부 아연한 얼굴로 우리를 보고 있었다.

나는 비키가 날렸던 소년에게 다가가 손을 내밀었다.

"괜찮아? 설 수 있겠어?"

"으…… 응……. 저기…… 방금, 연락한다고 했는데……."

"아, 그건 말이지—."

설명하려고 했을 때.

"새야, 이리 와~."

필이 철창을 향해 말했다.

작은 새 세 마리가 창살 사이로 날아들었다.

필은 치마 주머니를 뒤적거려 하얀 경단을 하나 꺼냈다. 그것을 새들에게 내밀어 콕콕 쪼아 먹게 했다.

필의 【무결의 사전】은 어디까지나 인간 이외의 생물과 대화할 수 있는 정령술이다. 말을 들어 줄지 말지는 별개의 문제라서 상대에 따라 성공률이 달라졌다.

라켈은 그 성공률을 올리는 방법을 필에게 전수했다. 대단한 건 아니었다. 평범하게 동물을 길들일 때처럼 먹이를 주는 거였다.

필은 먹이용 경단을 직접 만들어서 상비했다. 만들기 편해서 경단으로 한 것 같지만, 나는 역시 모모타로의 수수경단이 연상되었다.

경단이 다 사라지자 필은 새들과 눈을 맞추고 말했다.

"있지. 여기가 어디인지 조사해서 저택에 알려 줄래? ……그럼 되는 거지? 지 군."

"그래. 그거면 돼."

새들은 짹짹 지저귀고서 다시 창밖으로 날아갔다.

소년이 당혹스러운 표정으로 그 모습을 바라보았다.

"방금 그건……?"

"필의 정령술이야. 연락을 부탁했어. 앞으로…… 음, 빠르면 네 시간 안에 부모님이 편제한 부대가 도와주러 올 거야."

"스승님은 더 빨리 올 거야. 지 군이랑 똑같은 정령술로 슝~ 하고."

"아, 그런가. 그럼 한 시간 반이면 되겠네. 여기가 어디인지에 따라 다르겠지만, 흐른 시간을 보면 그리 멀지는 않은 것 같으니까."

"하, 한 시간 반만 버티면 살 수 있어……?!"

믿을 수 없다는 듯 소년이 눈을 크게 떴다.

유사시에 대비해 라켈과의 연락 수단은 평소에도 여러 가지 상정해 뒀다. 라켈은 정령술 백화점이다. 소리를 조종하는 정령술 【청정의 성가】, 정신 공유 정령술 【삼시(三

異世界を天国だと思うようになったのはいつからですか？

이세계를 천국이라고 생각하게 된 건
언제부터인가요?

전생 따위로 도망칠 수 있을 줄 알았나요, 오빠? 1권
발매 기념 초판 한정 특전
[NOT FOR SALE]

Illustrator: Kakeru Kirin
KADOKAWA CORPORATION

NOVEL

필과 비 오는 날의 놀이

비가 주룩주룩 계속 내렸다.

"오늘은 쉬려나?"

창문을 두드리는 빗방울을 바라보며 필이 조금 아쉽다는 듯 중얼거렸다. 라켈의 하드 트레이닝을 그저 야외 놀이의 일환으로 인식하고 있는 것 같은 말투라서 나는 내심 전율했다.

"그러면 좋겠지만 실내에서도 가능한 수행은 있으니까."

그렇게 말하며 나는 위쪽에서 떨어진 쥐를 손으로 받았다. 라켈의 지시로 행해지고 있는 필의 기습이었다.

「오~!」하고 필이 짝짝 박수를 쳤다.

"하루 정도는 쉬고 싶어. 기초 단련은 매일 해야 한다는 건 알지만."

"그러면 스승님이 돌아올 때까지 방 안에서 놀자!"

현재, 라켈은 숲이나 산에서 토사가 무너지진 않았는지 확인하러 나가 있었다. 무수한 정령술을 구사하여 비바람 따위 개의치 않는 라켈은 이럴 때 활약했다.

"방 안에서 뭐 하고 놀려고?"

트럼프? ……근데 이 세계에 카드 게임이 있었나. 체스(와 아주 비슷한 보드게임)가 있는 건 알지만 필이 할 줄 모르고.

전생 따위로
도망칠 수 있을 줄 알았나요,
오빠?
Even if you can escape with reincarnation, my brother?
전생 따위로 도망칠 수 있을 줄 알았나요, 오빠? 1권
발매 기념 초판 한정 특전
[NOT FOR SALE]
©Kyosuke Kamishiro 2020
Illustrator: Kakeru Kirin
KADOKAWA CORPORATION

矢)의 문수(文殊)】, 그리고 인간 이외의 생물과 대화하여 지휘할 수 있는 【무결의 사전】. 어떤 형태로 어떤 연락을 받든 라켈이라면 즉각 행동해 줄 것이다.

나는 하얀 피부의 소년에게 물었다.

"너, 이름은?"

"어?"

소년은 눈을 깜박였다.

"베니……."

"그렇구나. 베니, 잘 들어. 다른 애들도."

나는 열 명쯤 되는 아이들을 향해 말했다.

"예상컨대 대략 한 시간 반 정도면 우릴 도와주러 사람이 올 거야. 하지만 그 전에 우리가 너희를 여기서 데리고 나갈 거야. 그러는 편이 좋아. ……필, 왠지 알아?"

"으음……."

질문해 보자 필은 좌우로 고개를 갸웃거리고서 대답했다.

"도와주러 온 사람들이랑 도적들이 싸우게 되면……『인질』로 잡히니까! 맞아?"

"정답."

"앗싸~! 쓰다듬어 줘. 쓰다듬어 줘."

쓰다듬어 줬다. 아유, 기특해.

피부가 하얀 소년— 베니는 감옥 안에서도 평소처럼 구는 우리를 역시나 믿을 수 없다는 눈으로 보고 있었다.

"너희는 대체……?"

"우리는— 으음, 뭐라고 하면 좋지?"

남들보다 정령술 소양이 있는 만큼 심적으로 여유가 있는 자입니다? 틀린 말은 아니지만.

내가 고민하고 있으니 필이 번쩍 손을 들고 말했다.

"정의의 사도!"

"……뭐? 정의의 사도?"

"응! 스승님한테 들었어. 지 군은 정의의 사도가 되고 싶어서 정령술을 배우는 거지?"

……라켈 녀석, 어떻게 설명한 거야.

아니, 하지만…… 정의의 사도…… 정의의 사도라.

괜찮은데?

"응, 맞아. 우리는 정의의 사도야."

캄캄한 어둠 속에서 무릎을 끌어안고 있는 아이들에게 나는 선언했다.

"—너희 모두를 여기서 구해 내겠어."

『진홍의 고양이』? 『피투성이 암표범』? 그게 뭐 어쨌는데. 이름 진짜 촌스럽게 지었다. 너희보다 내 동생이 훨씬 더 무서웠다.

이 몸은 감금 경력 5년의 베테랑이시다, 이거야.

이딴 곳— 자택보다도 간단히 탈출해 주겠어.

우리는 도적, 흔해 빠진 악

"나와."

도적『진홍의 고양이』의 두령 비키는 얼마 안 있어 다시 나타났다.

"두령이 직접 데리러 왔나. 엄청난 VIP 대우네. 스위트룸이라고 하기에는 다소 볼품없는 곳이지만."

"그래. 떠들 수 있을 때 실컷 떠들어 둬, 애송이. 살면서 마지막 기회일 테니까."

가볍게 도발해 봤지만 이번에는 정령술을 쓰지 않았다.

……성가시네. 조무래기 혼자라면 때려눕히고 도망칠 수 있었을지도 모르는데.

나, 필, 베니는 감옥 밖으로 끌려 나갔다.

남은 아이들이 쇠창살 안쪽에서 불안한 얼굴로 우리를 바라보았다. 나는 도적들이 눈치채지 못하도록 작게 고개를 끄덕여 줬다.

앞에는 비키, 뒤에는 조무래기가 막아선 형태로 석조 복도를 걸어갔다.

나와 필이 도망치는 거라면 간단하다. 하지만 열 명이나 되는 아이들을 데리고 도망치는 건 얘기가 다르다.

—우선 상대의 전력, 지리 정보, 처한 상황을 정확히 파

악할 것.

라켈의 가르침을 떠올리며 걷다가 벽에 종이가 붙어 있다는 걸 알아차렸다.

……정보대로다. 시간은 거의 없었지만, 아이들―『카지노』라는 것 때문에 감옥에서 나간 적이 있는 아이들에게 이에 관해 들었다.

지도였다.

오래됐는지 잉크가 다소 옅어졌지만 못 읽을 정도는 아니었다. 나는 지도를 힐끔 보고 최대한 기억했다.

머릿속에 기억한 지도를 펼치고 음미했다.

이건…… 요새인가? 아주 오래 방치된 요새 같았다.

구조는 상당히 복잡하여 미로 같았다. 아마 조잡한 증축을 여러 번 반복한 탓이리라. 그 증거로 곳곳에 데드 스페이스가 보였다. 출입이 불가능하여 완전히 죽어 버린 공간도 있었고, 작은 안뜰처럼 된 곳도 많았다. 흠…….

복잡기괴한 폐요새 안을 5분 정도 걸었다.

공포 때문인지 긴장 때문인지, 시간이 지날수록 베니의 안색이 나빠졌다. 심장을 누르듯 왼쪽 가슴을 꽉 잡고 있었다.

지하에서 1층으로 올라와, 지도로도 확인한 작은 안뜰 같은 데드 스페이스를 몇 번이나 횡단했다. 그렇게 마침내 목적지에 도착했다.

예전에는 훈련장으로 쓰였을 것 같은 넓은 안뜰이었다. 테니스 정도라면 할 수 있을 만한 넓이였다.

제멋대로 자란 잡초 위에 험상궂은 남자들이 크게 원을 그리듯 앉아 있었다. 그들의 손에는 하나같이 술이 들려 있었고, 시끌시끌 왁자지껄 신나게 떠들고 있었다.

이곳이 『카지노』……? 지붕은커녕 테이블조차 없는 평범한 안뜰이?

"새끼들아!! 『룰렛』이 도착했다!!"

""""""오오오!!!!!!""""""

비키가 크게 외치자 남자들이 땅을 진동시킬 듯한 함성으로 대답했다.

이 이상한 열기는 뭐야…….

우리는 도적들이 만든 커다란 원의 중심으로 끌려갔다.

그곳에는 침대 같은 것이 있었다. 캐노피가 달린 나무 침대— 아니, 틀렸다.

……이건 침대가 아니다. 침대에 저딴 것은 안 달려 있다.

저딴— 인간의 손발을 구속하는 데만 쓸 수 있는 금속 고리는.

이건 고문대였다.

"자! 본게임 전에 리허설이다! 오늘 밤의 러키 가이는 어떤 녀석이냐?!"

"나다!!"

한 남자가 자리에서 일어나 고문대 옆으로 걸어왔다.

고문대에는 이미 멧돼지 한 마리가 눕혀져 있었다.

모든 발을 구속당해 숨을 씩씩거릴 뿐인— 도마에 오른 고기 같은 상태로.

"헤이, 러키 가이! 이름을 밝혀!!"

"에이브입니다!!"

"오케이, 에이브! 남자다운 모습을 보여 봐! 이봐, 눈가리개 가져와!!"

비키가 캐노피처럼 보이는 부분의 뚜껑을 열고 안에서 나대를 꺼냈다. 캐노피가 아니라 수납공간이었던 거다. 에이브라고 이름을 밝힌 남자가 나대를 받자 다른 남자가 수건을 가져와 에이브의 눈을 가렸다. ……마치 수박 깨기 놀이라도 하려는 것처럼.

"다들 규칙은 알고 있겠지?!"

비키가 도적들에게 외쳤다.

"이 상태에서 나대를 휘둘러 과연 어디를 자를 것인가?! 정답을 맞히면 한몫 보장! 배당률에 따른 상금을 손에 넣을 수 있다!!"

도적들이 환호성을 질렀다.

"배당금을 제외한 판돈은 에이브, 네 몫이다! 만약 누구도 맞히지 못한다면 일확천금! 독차지! 단『룰렛』을 죽이는 건 반칙이야! 상품을 못 쓰게 만든 손해분은 몸으로 갚아야 할 거다! ……뭐, 변비 때문에 고민이라면 그것도 좋겠지!"

으하하하하하하!! 도적들이 천박하게 웃었다.

이 녀석들…… 제정신인가……?

그런 수박 깨기 놀이 같은 짓을…… 인간으로 하겠다고……?!

"자, 우선 연습이다. 노래해라, 새끼들아!!"

—쿵! 쿵! 쿵! 쿵!

남자들이 발을 굴렀다.

"♪ 우리는 도적! 우는 아이도 뚝 그치지! ♪"

"♪ 우리는 도적! 우는 아이도 빼앗지! ♪"

"♪ 손인가 발인가! 눈알인가 귀인가?! ♪"

"—오른쪽!!"

"—왼쪽이다!!"

"—옆구리 가라아!!"

"♪ 골라 골라 마음대로 골라! 노리는 건 어디냐! ♪"

노래에 고취된 것처럼— 눈을 가린 남자가 멧돼지의 오른쪽 앞발을 향해 나대를 휘둘렀다.

피리 소리 같은 날카로운 소리가 귀청을 찢었다.
뇌 속까지 박히는 그 소리가 멧돼지의 비명임을 인식하기까지 몇 초가 필요했다.
필이 내 팔을 꽉 잡았다. 그 손이, 어깨가, 덜덜 떨리는 것을 보고 나는 필을 세게 끌어안아 귀를 막았다.
……필의【무결의 사전】은 동물의 소리를 듣는 정령술이다.
필에게는 들린 것이다. 멧돼지의 비통한 단말마가…….
"앗싸~~~~!!", "젠자아아앙!!", "오른쪽인가~!!"
도적들은 절단된 앞다리에서 선혈이 뿜어져 나오는 것을 보고 마치 경마라도 보는 것처럼 희비가 엇갈려 외쳤다.
하나같이, 즐겁게.
선혈이 흩뿌려지는 것을 보며, 불쌍하다고도 무섭다고도 생각하지 않고.
"이, ……이래도, 돼……?"
"엉?"
메스꺼움을 참으며 내가 중얼거리자 비키가 눈썹을 찌푸렸다.
"이것과 똑같은 일을, 우리한테 하려고……? 상품이잖아……? 상품에 흠집을 내려는 거야……?!"
"아하~? 그래, 타당한 의견이야."
뭐가 그리 즐거운지 비키는 나를 보고 히죽히죽 웃었다.
"하나 가르쳐 주마, 애송아. 어떤 장사든 고객에게는 저마다 취향이란 게 있어. 흠 하나 없는 숫처녀에게만 흥분하는 고객이 있는가 하면, 손발 한두 개는 날아가야 마음이 동하는 고객도 있지. 자, 그럼. 우리 같은 야만적인 도적에게서 상품을 사려는 사람은 대체 어느 쪽일까?"

"……!!"

"우리 같은 놈들이 상품을 고이고이 다룰 것 같아? 뭐, 하려고 마음먹으면 할 순 있지만. 고객이 원하는 바가 다르니 어쩔 수 없지. 우리는 기업 노력이란 걸 거듭하여 고객이 희망하는 상품을 준비하기 위해 정진하는 거야. 겸사겸사 숨통도 좀 틔우고. 좋아하는 일은 숙달도 빠르잖아? 하하하하……!!"

……기업 노력 같은 소리 하네…….

자기들이 하는 짓은 흔한 상인과 다를 바 없다고 말하고 싶은 건가. 자기들은 이상하지 않다고, 사회의 흔해 빠진 일부라고, 거리낄 것 없는 존재라고 말하고 싶은 건가.

잠꼬대는 자면서 해.

너희 같은 녀석들은 어떻게 해도 정당화될 수 없다.

—용서받을 수 없다.

"자, 그럼 본게임을 시작할까."

힘을 잃고 축 늘어진 멧돼지가 고문대에서 치워졌다.

—새로운 제물을 맞이하기 위해.

"처음은 누구로 할까?"

비키는 값을 매기는 시선으로 나, 필, 베니를 순서대로 보았다.

그리고 한 사람을 주시했다.

"……좋아, 정했어. 너다."

"어?"

베니의 몸이 얼어붙었다.

비키의 손가락이 베니의 눈앞에서 그를 가리키고 있었다.

"건방진 애송이는 메인 디시로 남겨 두겠어. 먼저 오르되브르로 흥을 돋우자고."

도적들이 환호성을 질렀다.

그 목소리는 전부 베니의 고통을, 아픔을 바라고 있었다.

사방에서 쏟아지는 목소리의 압력이 도주로를 막았다.

"……시…… 싫어……!"

베니가 슬금슬금 뒷걸음질 쳤다.

"싫어…… 싫어어어어어……!!"

등을 돌리고 도망치지 않는 것은 분명 등을 돌리는 것조차 무섭기 때문이리라.

햄버그스테이크를 앞에 둔 아이처럼 바라보는 비키의 시선을 자신의 등으로 받는 것이 너무너무 무서워서 견딜 수 없는 것이다.

나도 그랬다.

눈을 돌리는 것조차 무서웠었다.

눈을 뗀 순간, 무슨 짓을 당할지 몰라서—.

비키는 뒷걸음질 치는 베니를 천천히 조금씩 궁지로 몰았다. 그 모습은 개미 행렬을 몰아붙이며 노는 어린아이 같았다.

"(지 군. 안 도와줄 거야……?)"

"(상황이 안 좋아. 역시 이만한 수를 다 상대할 수는 없어…….)"

주위에 모인 도적의 수는 대략 서른 명.

나 혼자면 몰라도 필과 베니를 지키며 싸우는 건…….

"(이 폐요새의 구조는 지도로 확인했어. 싸우지 않고 도망치는 건 가능해.)"

하지만 그것도 기회를 엿봐야 한다. 우리의 정령술은 나이에 비해 강력하지만, 아무런 준비도 없이 이렇게 많은 불한당을 해치울 수 있을 만큼 사기적이지는 않았다.

나는 주위를 보았다.

뭔가 없을까? 기회를 만들 수 있는 게……!

"오…… 오지 마…… 오지 마……!"

궁지에 몰린 베니는 오른손으로 돌을 주워 던지기 시작했다.

비키는 개의치 않고 베니를 향해 손을 뻗었다.

"자— 너에게 가치를 부여해 줄게."

툭— 비키의 손이 베니를 가볍게 밀쳤다.

균형을 잃은 베니는 바로 뒤에 있던 수풀로 모습을 감췄고.

―덜컹!

뭔가가 쓰러지는 듯한 소리가 전혀 엉뚱한 방향에서 들려와서 나는 화들짝 놀라 돌아보았다.

"……어떻게……."

고문대였다.

고문대 위에 어느새 베니가 눕혀져 있었다.

베니가 아픈 듯 신음하는 사이에 옆에 있던 도적이 재빨리 그 손발을 구속했다.

설마 방금 그건……?!

베니가 밀쳐진 곳과 고문대 사이의 거리는 가볍게 어림잡아도 6~7미터는 됐다.

그걸 순식간에 이동했다……!!

이 현상을 실현할 수 있는 정령술은 내가 알기로 하나뿐이다!

"정령 〈바신〉……【절적(絕跡)의 허혈(虛穴)】……!!"

떨어져 있는 두 장소를, 사이에 있는 장애물도 무시하고서 바로 이동할 수 있는 힘.

즉, 순간이동(텔레포트) 정령술……!!

"나왔다! 누님의【절적의 허혈】!!"

"우리의 두령!『피투성이 암표범』의 최강의 정령술이다!!"

도적들이 들끓었다.

저 두령이 정령술사로서도 일류라는 얘기는 들었다.

하지만 그렇다고 해도 믿기 힘들었다.

—【절적의 허혈】.

전국의 정령술사 지망생이 모이는 왕립 정령술 학원에서 찾아봐도 이토록 드문 정령술을 가진 사람은 한두 명 정도일 것이다.

심지어 【절적의 허혈】로 이동시킬 수 있는 물체의 크기는 실력에 비례했다. 인간을 이동시킬 수 있을 정도면 그 실력은 달인급이다……! 하필이면 도적이 어째서 그런 힘을……!

"사…… 살려 줘……! 살려 줘어어어어어어어어어!!"

베니가 고문대 위에서 날뛰었다.

하지만 구속구가 철컥거릴 뿐…… 아무런 의미도 없었다.

"(지 군!)"

"(알고 있어!!)"

이런 때를 위해.

이렇게 눈앞에서 누군가가 고통받으려 할 때를 위해 나는 강함을 추구했다.

다시는 무력함에서 오는 분함을 맛보지 않기 위해—!!

뭔가 없을까.

아주 조금이라도 좋다. 도망칠 틈을 만들 방법이, 뭔가……!!

"—아."

저거다!!

"본게임을 시작하자! 노래해라, 새끼들아!!"

—쿵! 쿵! 쿵! 쿵!

"♪ 우리는 도적! 우는 아이도 뚝 그치지! ♪"

"♪ 우리는 도적! 우는 아이도 빼앗지! ♪"

"♪ 손인가 발인가! 눈알인가 귀인가?! ♪"

"—허벅지!!"

"—눈알!!"

"—오른쪽 귀다!!"

"♪ 골라 골라 마음대로 골라! 노리는 건 어디냐! ♪"

눈을 가린 남자가 베니에게 나대를—.

휘두르기 직전에.

"피기이이이이이이이이이이이이이익!!"

멧돼지가 우렁차게 외치며 남자의 허리를 들이받았다.

오른쪽 앞발을 잃고 세 발로— 핏방울을 땅에 떨어뜨리며.

조금 전에 리허설이란 것에 쓰인 멧돼지였다.

대충 땅에 버려진 멧돼지가 기적적으로 아직 살아 있음을 깨달은 내가 서둘러 필에게 말해서 멧돼지를 움직이게 한 것이다. 경단을 주지 않았기에 성공률은 70퍼센트 정도였지만, 멧돼지는 얼마 없는 힘을 쥐어짜 줬다……!

"뭐, 뭐야?!", "아직 살아 있었어?!"

도적들이 허둥거렸다.

나대를 들고 있던 남자는 멧돼지의 돌진에 치여 당연히 쓰러졌다.

"필! 그대로 다른 녀석들에게 돌격시켜!"

"알았어! 미안해, 조금만 더 힘내 줘……!"

세 발 멧돼지가 도적들에게 돌격해 교란했다.

나와 필은 그사이에 베니가 눕혀진 고문대로 달려갔다.

"너…… 너희……?!"

베니가 놀란 얼굴로 우리를 보았다.

나는 손발을 고정한 구속구를 철컥철컥 흔들어 봤지만 단단해서 도저히 끄를 수 없을 것 같았다.

"하는 수 없지. 통째로 가져가겠어! 꽉 잡아, 필!"

"응!"

"—꼼짝 마, 새끼들아아아아아아아아아아아아!!"

비키가 분노한 형상으로 달려왔다.

움켜쥔 주먹이 위로 들렸다. 도저히 우리를 때릴 수 있는 거리가 아니었다. 하지만 이 여자에게는 거리 따위 문제가 되지 않는다!

필을 옆구리에 끼고, 베니가 구속된 고문대를 한 손에

든 채 힘껏 위로 뛰었다.

【자립의 투익】에 의해 내 체중도, 필의 체중도, 베니와 고문대의 무게도 전부 0이 되어, 우리는 단숨에 몇십 미터 위로 뛰었다.

별들이 반짝이는 밤하늘이 사방에 펼쳐졌다. 도적들은 까마득한 아래에 있었다. 아무리 긴 창을 쓰더라도 닿을 수 없는 높이였다.

하지만 이대로 있으면 우주까지 가거나 지상으로 돌아가거나, 둘 중 하나다.

"필!"

"응! 새야!"

필의 목소리에 호응하여 매 한 마리가 밤하늘을 날아와 내 어깨를 잡았다.

나는 여전히 공중 도약—《좌익의 품새 · 신천옹》을 완벽하게 터득하지 못했지만, 이렇게 하면 유사하게 비행할 수 있었다.

"지 군, 어떡해? 다른 아이들한테 돌아가?"

"그럴 생각인데, 일단 거리 쪽으로 가. 도망치려는 것처럼 보이게. 그다음에 지붕 위에 내려서 베니를 고문대에서 풀어 주고 감옥으로 돌아가자."

"알았어!"

숲 너머에 불빛이 보였다. 그쪽으로 날아가는 척하자 아니나 다를까 도적들은 허둥지둥 그 방향으로 달려갔다.

그것을 확인하고 방향을 돌려 눈에 띄지 않는 지붕 위로 내려갔다.

그러면서 베니를 구속한 고문대를 낙하의 충격을 이용해 파괴했다.

"고…… 고마워……."

"아니, 감사는 나중에. 지금부터 다른 녀석들도 구해야 해. 혼자 있다가 잡힐지도 모르니까, 미안하지만 너도 같이 가 줘야겠어."

"으, 응. 알았어……."

베니는 왼쪽 손목을 매만지며 고개를 끄덕였다.

나는 지붕 위에 흩어진 고문대를 봤다가 의문을 느꼈다.

고문대 상부— 캐노피처럼 되어 있던 수납공간이 비어 있었기 때문이다. 나대만 들어 있었던 모양이다. 당연히 다른 고문 기구나 붕대 같은 게 들어 있을 줄 알았는데.

"지 군. 왜 그래?"

"……아, 미안. 가자."

나는 고문대의 잔해에서 눈을 떼고 지붕 위를 이동하기 시작했다.

폐요새 도주극

공간 파악력에는 자신이 있다.

반년간 라켈이 중점적으로 단련시킨 것이 바로 그것이기 때문이다.

라켈이 말하길, 【자립의 투익】을 이용한 전투는 삼차원 기동을 중시하기에, 어디에 뭐가 있는지를 빠르게 기억하고 눈으로 보지 않아도 파악할 수 있어야 한다고 했다.

그래서 수박 깨기 놀이를 훨씬 어렵게 만든 듯한 훈련을 해 왔는데, 그 성과가 지금 의도치 않게 발휘되고 있었다.

지도로 파악하고 상공에서 확인한 폐요새의 구조. 머릿속에 전개된 그 구조를 따라 복잡기괴한 길을 달렸다. 가장 짧고 빠른 길로, 망설이지 않고. 우리의 페인트에 속았음을 도적들이 깨닫기 전에 지하 감옥에 있는 아이들을 구출해 내겠다!

“하아…… 하아……!”

같이 달리는 베니가 헐떡였기에 【자립의 투익】으로 무게를 없애고 한 손으로 안아 들었다. 아이치고도 마른 녀석이라서 필처럼 안기 쉬웠다.

“미…… 미안…….”

“괜찮아. 매일 비슷한 일을 하거든.”

처음 라켈의 제자가 됐을 때는 이렇게 정령술을 쓰면서 달리면 금세 지쳤었다.

하지만 이제는 숨이 흐트러지지도 않았다. 육체적인 체력과 정령술적인 체력, 양쪽이 단련되었기 때문이다.

필도 나와 비슷한 체력 강화 메뉴를 소화하고 있기에 숨을 헐떡일 기미조차 보이지 않았다.

……이렇게 의도치 않게 실전을 경험하니 라켈의 훈련이 얼마나 정확한지 뼈저리게 느껴졌다. 라켈과 만난 것은 어쩌면 루스트로 태어난 것보다 더 큰 행운이지 않을까 하는 생각이 들 정도였다.

"……어라? 지 군, 안 내려가?"

지하로 가는 계단을 지나치자 필이 고개를 갸웃했다.

"감옥 열쇠가 없어. 문을 열어서 아이들을 풀어 주는 건 무리야. 지상에 난 창문으로 빼낼 거야."

"창문으로 빼내겠다니……. 창문에는 분명 창살이……."

베니의 중얼거림에 나는 웃으며 대답했다.

"뭐, 일단 봐."

작은 안뜰 같은 공간이 나왔다.

그 벽의 땅 쪽에 체육관의 환기창 같은 느낌으로 철창이 있었다. 나는 베니를 땅에 내리고 철창 앞에 쭈그려 앉아 오른손으로 창살을 잡았다. 그와 동시에 왼손으로 위쪽에 있는 돌벽을 만졌다.

"영……차."

"어……?!"

마치 젠가 같았다.

내가 가볍게 힘을 줘서 잡아당기자 견고해 보이는 창살이 주위의 석재와 함께 쏙 빠졌다.

"어…… 어떻게……?!"

"내가 물체를 부유시키면 그 순간 물체에 가해지는 모든 힘이 소실돼."

깜짝 놀라는 베니에게 나는 석재가 붙어 있는 창살을 휘휘 흔들어 보였다.

"이 석재를 고정하는 압력이 사라진 순간 뺀 거야. 이런 벽은 석재가 하나쯤 빠진다고 바로 무너지지 않으니까. 뭐, 여차하면 벽을 통째로 부유시키면 되지만."

나에게 석재를 쌓아서 만든 벽은 지푸라기로 만든 벽이나 마찬가지였다. 콘크리트처럼 이음매가 없거나 접착제로 붙였다면 또 다르지만.

"괴…… 굉장하다……."

베니가 눈을 동그랗게 뜨고 나를 보았다.

"너희는 정말로…… 정의의 사도 같아……."

"흐흥~!"

베니 옆에서 어째선지 필이 의기양양하게 가슴을 쭉 폈다. ……뭐, 내가 으스대는 것보다는 낫지만.

"애들아! 구해 주러 왔어!"

창살이 없어진 창문에 대고 외치자 아이들이 놀란 얼굴로 일제히 올려다보았다. 좋아. 다들 있네.

"한 명씩 끌어 올릴게! 팔을 내밀어! 못 움직이는 녀석은 도와주고!"

그렇게 열 명쯤 되는 아이들을 감옥에서 빼냈다. 이럴 때도【자립의 투익】은 편리하다.

"지금부터 이곳을 탈출할 거야."

나는 작은 안뜰에 모인 아이들에게 최대한 자신만만한 모습으로 선언했다. 아이들이 불안해하지 않도록.

"침착하게 내 지시에 따라 줘. 무슨 일이 벌어지든 일단 내 말을 들어. 알았지?"

불안해지지 않게 않는 강인함과 겁먹지 않게 하는 상냥함. 두 가지를 양립시키기는 어려웠지만, 다행히 아이들은 순순히 고개를 끄덕였다. 옳지, 착한 녀석들. 필보다 다루기 쉽다.

"못 움직이는 아이는 무게를 없앨 테니까, 움직일 수 있는 아이가 옮겨 줘. 이동하자."

필이 한쪽 팔을 잃어 균형을 잡지 못하는 소녀에게 오른쪽 어깨를 빌려줬다.

베니도 한쪽 발이 잘린 소년을 왼팔로 부축했다.

나는 여차하면 선두에 서서 싸워야 하기에 부상자를 옮

기는 건 도와줄 수 없었다. 마음 아프지만, 감옥에서의 나날을 함께 견딘 이들에게 맡기자.

"필. 정찰을 부탁해."

"이미 하고 있어~."

폐요새 안에서 쥐 몇 마리가 안뜰로 달려와 필을 향해 찍찍 울었다. 그걸 듣고 필은 한 손으로 동그라미를 만들었다. 나는 고개를 끄덕였다.

"여기서부터는 조용히."

입 앞에 검지를 세워 아이들을 조용히 시키고 선두에 서서 안뜰을 나갔다.

아마 지붕 위로 가는 게 가장 들키지 않는 루트겠지만, 열 명이나 되는 아이들을 데리고 걷는 건 너무 위험했다. 도적에게 잡히기 전에 지붕에서 떨어져 죽어 버린다면 잠자리가 너무 사나워진다. 폐요새 안을 나아갈 수밖에 없었다.

신중하면서도 신속하게. ……단숨에 출구까지 달린다.

우리는 뛰었다.

아이들에게 기척을 지우라고 하는 건 무리한 요구다. 속도가 생명이다. 들키기 전에 뜬다. 그게 이상적이었다.

벽을 뚫어서 **진정한** 최단 루트를 가는 방법도 있기는 하지만 확실하게 흔적을 남기게 되니 말이지. 역시 그만한 위험성은 감수할 수 없다.

내 앞에서는 필의 명을 받은 쥐가 달리고 있었다. 우리

보다 먼저 모퉁이를 돌아 적의 유무를 확인하는 척후병이었다. 찍찍 울면 안전하다는 거다. 나는 그 신호를 믿고서 멈추지 않고 모퉁이를 돌았다. 시간 손실을 최대한 없애기 위해서였다.

그 덕분에 적진임에도 불구하고 빠른 페이스로 이동할 수 있었다.

……한두 번의 전투는 각오했는데 도적과 좀처럼 마주치지 않았다. 도적의 수에 비해 이 폐요새는 너무 넓었다.

게다가 복잡했다. 열 명이 넘는 인원이라지만 전부 어린 아이다. 일단 자취를 감추면 찾기 어렵다. 이대로 아무 일 없이 탈출해 버리자……!

척후 역할을 맡은 쥐가 모퉁이 너머에서 찍찍 울었다. 좋았어. 나는 이때까지 그랬듯 속도를 늦추지 않고서 모퉁이를 돌았고—.

"—찾았~다."

그곳에.

여도적 비키가 서 있었다.

나는 황급히 발을 멈췄다. 팔을 벌려 뒤따라오는 아이들을 제지했다.

"어……? 어째서……?"

필이 당황한 눈으로 비키를 보았다. 척후병 쥐는 비키 뒤에 있었다. 어떻게 된 거지? 쥐가 정찰했을 텐데—!

—아아, 그런가. 【절적의 허혈】이다!

쥐가 정찰을 끝낸 직후에 비키가 텔레포트로 이동한 거다! 이렇게 타이밍이 나쁠 수가……! 아니면 노린 건가……?!

"못된 꼬맹이들이야. 멋대로 멀리 가면 안 된다고 부모님이 가르치지 않으시든?"

비키는 히죽 웃고서 주먹을 움켜쥐었다.

"하지만 나도 설교할 수 있을 만큼 착하게 살진 않았으니까. —벌은 너무 심하지 않게 내려 주마!!"

비키가 바위처럼 단단히 움켜쥔 주먹을 날카롭게 내질렀다. 정면!

내 머리가 앞으로 푹 숙어졌다.

뒤통수를 맞은 것이다. 정면으로 내지른 주먹에!

예상치 못한 충격에 나는 주춤했다. 공격 방향을 예측할 수 없었다. 늘 의표를 찔린다. 상대는 눈앞에 있는데 기습을 당하는 것 같았다.

—하지만 이미 수법은 알아냈다.

"오……?! 오오오?!"

비키가 당혹스러워하며 허공에 둥실 떠올랐다.

—네 공격의 정체는 주먹이나 발만을 텔레포트하는 것이다.

충돌하는 순간에만 【절적의 허혈】로 손발을 이동시키고 있을 뿐이다! 즉, 너의 몸은 공격하는 순간 확실하게 내 몸에 닿는다. 접촉한 것을 부유시킬 수 있는 내 몸에!

비키가 꼴사납게 버둥거리며 우주 유영을 하는 사이에 나는 거리를 좁혔다.

—감옥에서 베니를 때린 것의 보복이다.

떠 있는 비키에게 혼신의 날아 차기를 먹였다.

비키는 똑바로 날아가 복도 벽에 등을 세게 부딪쳤다. 투쾅!! 하고 인체에서 날 수 없을 듯한 굉음이 터졌다.

나는 착지하면서 벽에 처박힌 비키를 노려보며 얼굴을 찌푸렸다.

"단단해……! 복근이 어떻게 돼 먹은 거야, 저 여자……!"

강철처럼 단단했다. 정상적으로 단련된 게 아니다. 이런 걸 어린아이의 근력으로 아무리 공격해 봤자……!

"퇴각이다!"

비키는 아직 우주 유영 상태라 움직이지 못했다. 하지만 계속 접촉하지 않는 한 【자립의 투익】의 효과는 시간이 지나면 사라진다. 이 틈에 도망칠 수밖에 없다!

나는 아이들과 함께 왔던 길을 되돌아갔다.

달려가면서 기억한 지도를 머릿속에 펼쳤다. 숨을 수 있는 곳이 없을까. 일시적이어도 좋다. 저 여자의 눈을 피해 도망칠 수 있는 곳이……!

"—있다. 저기야! 저 방에 들어가자!"

지도상에서 찾아낸 방을 때마침 복도 앞쪽에서 발견하여 그 문으로 뛰어들었다.

확실하게 실내를 정찰하고 나서 아이들을 들여보냈다. 내가 제일 마지막에 들어가 주의 깊게 문을 닫았다.

이 방이라면 많은 인원도 충분히 숨을 수 있을 만큼 넓을 테지만—.

"……뭐지? 생각보다 좁네……."

창고 같은 방이었다. 너저분하게 산적한 잡동사니에 하얀 먼지가 내려앉아 있었다. 그래서 그런가? 지도를 보고 받은 인상보다 훨씬 좁은 것 같았다.

뭐, 좋아. 물건이 많으면 숨기에는 좋다.

"일단 여기 숨자. 내가 괜찮다고 할 때까지 얼굴 내밀지 마. 목소리도 내면 안 돼. 알았지?"

아이들이 고개를 끄덕이는 것을 보고 나는 숨을 곳을 찾아 줬다.

그리고 나도 필과 함께 부식된 나무 상자 속에 몸을 숨겼다.

필의 숨소리와 고동 소리만이 퀴퀴한 어둠을 채웠다.

"(흐헤헤.)"

"(왜 웃어.)"

"(어젯밤 같아.)"

"(……뽀뽀는 안 할 거야.)"

"(알고 있어~♪.)"

즐겁게 말하며 필은 내 목에 얼굴을 묻고 몸을 밀착시켰다. 사랑에 빠져서 완전히 바보가 됐다고 할까, 조숙하다고 할까…… 뭐, 나도 그렇지만.

빨라진 내 고동을 필사적으로 외면하고 있으니 갑자기 밖에서 소리가 들려서 나도 필도 몸을 긴장시켰다.

마음을 단단히 먹고 서로를 부둥켜안으며 어둠 속에서 귀를 기울였다.

……발소리다.

방 밖에서 사람의 발소리가 들려왔다.

"――♪."

콧노래……?

나는 살짝 얼굴을 찌푸렸다. 콧노래에는 좋은 기억이 없었다.

나를 돌봤던 소녀의 얼굴이 자연스럽게 머릿속에 떠올랐다. 밀크티색 트윈테일이 잘 어울리고, 웃는 얼굴이 상냥하던…….

하지만 그 얼굴은 금세 일그러져 다른 모습이 되어 버렸다.

―불타 문드러진 피부. 형형히 빛나는 눈. 섬뜩하게 찢어진 입.

타닥타닥 불똥 튀기는 소리가 들렸다. 그때, 만약 뭔가 하나라도 잘못됐다면. 엄마도, 아빠도―.

―코르크 따개를 눈에 대는 소녀의 얼굴이 떠올랐다.

괜찮을까. 괜찮을까. 괜찮을까. 뭔가 잘못하진 않았나. 실수하진 않았나. 조심해. 조심해. 조심해. 상대는 그 동생 같은 악귀다. 조금이라도 잘못하면. 조금이라도 잘못하면—.

“(—꺄우. 지 군……?)”

어느새 나는 필의 몸을 꽉 끌어안고 있었다. 숨이 찼다. 식은땀이 흘렀다. 젠장, 뭐 하는 거야! 진정해, 진정해……!

상냥한 힘이 내 몸을 포근하게 안았다.

“(무섭지 않아, 지 군.)”

필이 나를 마주 안고서 귓가에 부드럽게 속삭였다.

“(내가 같이 있어. 그러니까 아무것도 무섭지 않아…….)”

가빴던 숨이 점차 차분해졌다. 머릿속을 가득 채웠던 초조함이 거짓말처럼 사라져 갔다.

……아아, 그런가. 나는…… 혼자가 아니다.

“(미안……. 역시 나도 긴장해서.)”

“(응. 괜찮아. 지 군은 강하니까 괜찮아.)”

나는 깊이 숨을 내쉬었다. 그래. 나는 강해졌다. 왜 강해졌지? 싸우기 위해서다.

두 번 다시 똑같은 일을 반복하지 않겠다.

발소리와 콧노래의 주인은 우리가 있는 방을 그냥 지나쳤는지 어느새 소리가 멀어져 있었다. ……자세히 들어 보니 남자의 목소리였다. 비키는 어디 갔지?

그 후 한동안 동태를 살피고 나무 상자에서 나왔다.

다른 아이들도 나오게 하여 우리는 좁고 어두운 창고에

옹기종기 모였다.

"지 군, 어떡해?"

필이 단도직입적으로 물어서 나는 턱에 손을 올리고 생각에 잠겼다.

"……비키에게 들킨 건 꽤 성가신 일이야. 순간이동을 쓴다면 아무리 뛰어도 달아날 수 없어."

"숨어서 도망칠 수밖에 없으려나?"

"그건 그런데, 애초에 그 녀석은 어떻게 우리가 있는 곳을 알아냈지? 그렇게 눈앞에 딱 나타나려면 우리가 어디 있는지 정확히 알아야 하잖아."

"으음~ 그러게……. 어떻게 한 걸까?"

CCTV나 발신기가 있는 것도 아니다. 필처럼 동물을 다루는 게 아닌 이상, 우리를 잡으려면 사람을 쓸 수밖에 없을 터다. 누군가가 우리의 행동을 감시하고 있나?

아니, 그렇더라도 연락 수단이 문제다. 우리는 계속 이동했다. 비키에게 전속력으로 달려가 전하더라도 우리는 이미 그 자리에 없다. 눈앞에 딱 나타날 만큼 정확히 위치를 포착하려면 빠른 연락 수단이 필수다. ……【절적의 허혈】이라면 가능한가? 사람을 순간이동시킬 수 있다면 소리도 똑같이—.

—젠장. 이 이상 생각해도 끝이 안 날 것 같다.

지금 알 수 있는 건 어디로 도망치든 비키가 앞지를 가능성이 크다는 것뿐이다.

"……해치울 수밖에 없을까? 그 두령이란 사람을."

"그것도 비현실적이라고 생각하는데……. 지금 우리 상황으로는 화력이 부족해."

"유인하는 것 정도는 가능할지도?"

"그렇더라도, 미끼라는 걸 눈치채면 바로 순간이동으로 도망칠 거야."

"으음……. 있지, 지 군."

"응?"

"그『순간이동』이라는 건 어떻게 목적지를 정해?"

예리한 질문이었다. 나는 잠시 생각했다.

"……내가 읽은 책에는 거기까지 안 적혀 있었어. 스승님한테도 정령술별 대책 같은 건 아직 안 배웠고……. 근거 없는 짐작이지만, 목적지를 정확히 상상한다든가?"

"무섭지 않을까? 잘못해서 벽 속에 들어가면 어떡해."

"아니, 그런 일은 일어나지 않을 거야. 【절적의 허혈】은 정확히 말하자면 떨어져 있는 두 장소를 잇는『구멍』을 뚫는 능력이야. 그래서 뚫을 수 있는 구멍의 크기에 따라 이동시킬 수 있는 물체의 크기가 정해져."

소위 웜홀이란 거다. 그리고 그 크기는 술자의 실력에 달렸다. 아예 초짜면 겨우 손끝만 통과시킬 수 있다고 한다. 베니나 자기 자신을 통째로 통과시키는 비키는 상당한 실력자란 것이 된다.

현존하는 정상급 정령술사 중에 몇천 명이나 되는 대군을 통째로 이동시킨【절적의 허혈】사용자가 있다는 이야기를 들은 적이 있지만, 어디까지 사실일지는 모르겠다.

"으음…… 그런가. 목적지를 어떻게 정하느냐에 따라 『순간이동』을 못 하게 할 수도 있을 것 같았는데."

"뭐, 예를 들어 물리적으로 들어갈 수 없는 좁은 곳이라면 그 여자도 순간이동을 쓸 수 없겠지."

어린아이만 지날 수 있는 좁은 길이 있다면 좋겠지만, 이 폐요새에는 통풍구 같은 멋진 시설은 없는 것 같았다.

이야기를 나눠 봐도 구체적인 대책은 나오지 않았다. 역시 어떻게든 해서 우리의 장소를 알아낸 방법을 조사할 수밖에 없을까…….

—똑똑.

갑자기 누군가가 문을 노크했다.

등골이 오싹해졌다. 설마 그럴 리 없다고 현실도피할 여유조차 주지 않았다.

"안에 계세요~? —하하! 여기구나, 애송이들!!"

쾅쾅쾅!! 문이 떨리며 삐걱거렸다. 비키……?! 어떻게 여기를 찾았지?! 이 녀석…… 역시 뭔가 방법을 써서 우리의 위치를 알아내고 있다!

"젠장!"

나는 안에 있는 나무 상자와 잡동사니를 움직여 바리케이드를 만들었다.

"열어!! 망할 애송이!!"

하지만 여전히 문은 흔들리며 삐걱거렸고, 바리케이드는 점점 무너졌다. 근육녀 같으니라고! 이대로는 오래 못 버틴다!

"안쪽으로 가자!"

그렇게 아이들에게 외치며 나는 안쪽 벽으로 달려갔다.

당연히 그곳에 출구 같은 건 없었다. 돌을 쌓아 만든 벽이 서 있을 뿐이었다.

하지만— 내게 문 따위는 필요 없다.

양손으로 돌벽을 꾹 눌렀다. 그랬을 뿐인데 벽이 뿔뿔이 와해되며 작은 안뜰이 나타났다. 나에게 돌벽은 존재하지 않는 것과 같다!

"이리 와! 빨리!!"

부상자부터 순서대로 아이들을 방에서 내보냈다.

문 앞에 만든 바리케이드는 이미 절반 정도 무너져 있었다. 비키가 들어오는 건 시간문제다……!

남은 사람은 네 명. 초조함이 커졌다. 앞으로 세 명, 앞으로 두 명—.

—와지끈!! 하고 결정적인 소리가 들렸다.

퍼뜩 시선을 드니 내가 만든 바리케이드는 와르르 무너

져 있었다.

남은 한 명— 베니 너머로 그 여자의 실루엣이 나타났다.

여도적 비키가 입구에 서서 웃고 있었다.

"어딜 도망가아아아아아아아!!"

맹렬히 다가오는 비키를 보고서 이를 간 나는 실내에 남은 마지막 한 명인 베니에게 손을 내밀었다.

"잡아!"

무게를 잃고 거품처럼 허공에 떠 있는 석재 사이로 베니가 내민 왼손을—.

응?

—어쨌든 잡고, 그 몸을 밖으로 끌어냈다.

직후, 근처에 떠 있는 석재의 무게를 되돌렸다.

"칫……!!"

비키가 짜증스레 혀를 찼다.

무게를 되찾은 석재가 비처럼 도적에게 쏟아진 것이다.

맹수 같은 살의를 발산하던 근육녀는 석재 속에 파묻혀 사라졌다. ……하지만 이 정도로 얌전해질 녀석은 아니었다. 어서 이곳을 벗어나야 했다.

"베니. 괜찮아?"

"……으, 응……."

힘으로 빼내느라 베니는 내게 안긴 꼴이 되어 있었다. 상당히 무서웠는지 세차게 쿵쿵 뛰는 고동이 밀착한 내 왼쪽 가슴에까지 전해졌다. 내 고동과 뒤섞여서 마치 내 심장이 빠르게 뛰는 것 같— 응응?

"지 군! 빨리 가자!"

"어, 응……."

필이 재촉해서 나는 다시 아이들을 데리고 뛰기 시작했다.

그와 동시에 옆에서 달리는 베니의 얼굴을 힐끔 엿보았다.

—방금 그건……?

—아니, 하지만 그때는…….

의식이 과거로 거슬러 올라가 위화감을 찾아냈고— 새삼 의문스러워졌다.

비키는 어째서 바리케이드 따위에 발이 묶였는가?

그 의문이 돌파구였다.

점과 점이 선으로 이어졌다.

그걸 토대로 내 기억을 재해석했다.

우리가 있는 곳을 정확히 알아내는 비키.

정령술【절적의 허혈】.

복잡기괴한 폐요새.

좁은 방.

고문대.

고동.

손.

"(—필.)"

“(응~?)”

나는 남몰래 — 다른 누구에게도 들리지 않도록 — 필에게 말했다.

“(쥐를 써서 이 폐요새를 조사해 줘. 구석구석 자세히.)”

절적의 허혈

“칫…… 애새끼들. 빨빨거리면서 잘도 돌아다니네…….”

슬슬 지긋지긋했다.

이 몸이— 도적단 『진홍의 고양이』의 두령 『피투성이 암표범』 비키 님이 그딴 애송이들을 잡는 데 이렇게까지 수고를 들여야 한다니.

다소 애먹이는 정도라면 오히려 귀여운 맛이 있다. 하지만 어디까지나 내가 즐길 수 있는 범위일 때만 그랬다.

잘 빼앗고, 잘 벌고, 잘 노는 것. 이게 도적의 기본이지만, 놀이가 벌이를 해친다면 본말전도다. 나는 근면한 도적이라서 찰나를 즐기는 건 술을 마실 때만으로 한정하고 있었다.

『그녀』와 거래하는 건 내일 아침이다. 그 전에 애새끼들을 붙잡아 상품을 준비해 둬야 한다. ……이거 오늘은 밤을 새우게 생겼다.

짜증 나네……. 아아, 짜증 나. 이 스트레스는 마을 하나를 없애야 풀릴 것 같다. 아니면— 아아, 그래. 좋은 생각이 났다.

아주 잘생긴 왕자님이 있다고 이전에 들은 적이 있다. 나이는 그 건방진 애송이와 비슷한데 명석한 두뇌를 가진 신동이라고 했다. 내후년에는 왕립 정령술 학원에 입학한다는 모양이다.

듣기만 해도 짜증이 나는 프로필이다. 천재란 놈들은 그것만으로도 마음에 안 든다. 재능을 타고나 편하게 사는 만큼 고생해야 공평하지 않겠는가.

그런고로 정했다. 다음 사냥감은 그 녀석으로 하자.

납치해서 갖고 놀고, 몸값을 듬뿍 받은 다음에 팔아 버리자.

귀족 녀석들이 절망하는 얼굴이 훤히 보인다. 아아, 상상만 해도 술 한 통은 마실 수 있을 것 같다.

……어이쿠, 그 전에 눈앞의 일을 정리해야지.

그 귀족 꼬맹이, 대체 정체가 뭐지……? 평범한 꼬맹이는 아니다. 명백하게 훈련을 받았다. 우리 도적단의 근육쟁이들은 상대도 안 될 거다.

『길드』를 통해 납치하라는 의뢰를 받았을 때는 깊이 생각하지 않았지만…… 아무래도 수상쩍다. 아아, 싫다, 싫어. 잘 모르는 일에는 깊이 참견하지 않는다. 그게 오래 사는 비결이다.

"……응?"

귀를 기울였다. 『이 녀석』은 목소리가 작아서 문제다.

"아아…… 그래그래. 거기 있구나?"

정보를 따라 이동했다.

그러자 멀리 열 명쯤 되는 아이들이 보였다. ……녀석들이다.

"슬슬 죗값을 치를 때다, 얘들아."

이대로 몰아가면 막다른 곳이다.

저 애송이는 아무래도 무게를 없애는 정령술을 가지고 있는 것 같지만, 다른 애들까지 전부 동시에 띄우지는 못할 거다. 가능하다면 진즉에 했을 테니까.

그리고 나한테 똑같은 수법은 통하지 않는다.

만약 또 날아가려고 하면 내 【절적의 허혈】로 후려쳐서 떨어뜨려 주겠다.

나는 마른 입술을 핥고 복도를 걸어갔다.

이윽고 안뜰로 나가니 그 애송이가 기다리고 있었다. 변함없이 시건방진 눈으로 나를 노려보았다.

그 옆에는 같이 잡아 온 여자애도 있었다. 이 녀석도 어린애답지 않게 눈빛이 흔들림 없었다.

하지만— 나는 주위를 둘러보고 애송이에게 물었다.

"이봐, 애송이."

"왜 불러? 할망구."

"다른 애들은 어디 갔지?"

이곳에 있는 건 두 명뿐이었다.

아까 봤을 때는 도망친 애들이 전부 있었다. 다들 이쪽으로 도망쳤을 터다. 대체 어디로 사라졌지?

망할 애송이는 눈썹을 찌푸리는 나를 보고서 아니꼽게 웃었다.

"글쎄. 순간이동이라도 한 게 아닐까?"

……이 녀석, 뭔가 꾸미고 있군?

애송이의 미숙한 뇌로 무슨 생각을 했는지 모르겠지만—.

나는 품에 손을 넣어 단검을 꺼냈다.

그걸 보고 애송이의 눈썹이 움찔거리며 반응했다.

"하하! 역시나! 너의 정령술은 자기가 만진 것에만 쓸 수 있는 거야! 그래서 이렇게 무기를 사용하면 공격받은 순간 상대를 띄우는 방법을 쓸 수 없어! 정령술을 써 봤자 무기만 떠오르겠지!"

아주 조금이라도 접촉하면 그 즉시 둥실둥실 떠올라서 움직일 수 없게 된다. 이토록 성가신 일은 없다. 하지만 대책을 세웠다.

이제 저 짧은 팔만 조심하면 된다.

너무 나쁘게 생각하지는 마. 프로는 상대가 어린애여도 봐주지 않거든.

"……그럼 나도 무기를 쓸 따름이야."

그렇게 말하고 애송이는 뒤에서 검 한 자루를 꺼냈다. 어딘가 창고에서 꺼내 왔나.

애송이가 양손으로 칼자루를 잡고 정면으로 들었다. 제법 그럴싸했다. 초짜는 아니다. 어른용 검이라서 무거울

테지만, 그것도 정령술이 있다면 상관없나.

마음에 안 드네.

이렇게 미래가 약속된 것 같은 애새끼는—.

—아예 인생을 엉망진창으로 만들어 줘야 하는 법이지!

"죽어……!!"

나는 그 자리에서 단검을 날카롭게 찔렀다.

—【절적의 허혈】.

허공에 뚫린 구멍을 통해 애송이의 배를 찌른다. 거리 따위 관계없다. 속도 따위 관계없다. 내 공격은 상대가 어디에 있든 도달한다!

그러게 장난도 적당히 쳤어야지. 결함품으로 만드는 건 아쉽지만, 망할 애송이에게 따끔한 맛을 보여 주는 것이 어른의 의무란다……!

나는 의심도 하지 않았다.

잠시 후 망할 애송이가 배를 부여잡고 그 자리에 쓰러질 것이라 믿었다.

하지만 현실은 그리되지 않았다.

"……아, ……아아……?!"

내가 단검을 찌른 순간— 애송이의 모습이 흐릿해지더니 사라졌다.

아니, 틀렸다. 시야 끄트머리에 간신히 잡히고 있다! 날벌레처럼 붕붕 날아다니는 검은 그림자가……! 하지만 날벌레라고 하기에는 너무 컸다. 그건 사람의 그림자였다. 인영이 나를 포위하듯 뛰어다녔다.

빨랐다.

그리고 날카로웠다.

물리 법칙을 완전히 무시한 예각 난반사였다. 속임수 카지노의 룰렛 구슬도 이것보다는 자연스럽게 움직인다.

이것도 무게를 없애는 정령술의 사용법 중 하나인가. 그렇군. 잘 공부하고 있는 모양이네—!!

머리 위에서 내리쳐진 애송이의 검을 단검으로 막았다.

묵직했다. 공격하는 순간에만 검의 무게를 원래대로 되돌렸다.

하지만 가볍다!

애송이는 살짝 얼굴을 찡그리더니 거리를 벌리고 다시 고속 기동을 개시했다.

확실히 정령술을 다루는 건 천재적이다. 정령술을 다루는 건 말이다.

하지만 그래 봤자 결국 애송이— 근력과 체중이 부족했다. 이 녀석이 만약 어른이었다면 역시 나도 방금 일격은 막을 수 없었을 거다.

기본적으로 무게는 강함이다.

무언가와 무언가가 정면으로 맞부딪치면 무거운 쪽이 이긴다. 당연하잖아?

이 애송이의 싸움법은 그걸 숙지하고서 이용한 것이다.

그렇기에 아직 발전 중이었다. 체중도 근력도 부족한 지금, 이 녀석의 전법은 완성형에 이르지 못했다……!

잘 봐, 비키. 피투성이 암표범! 녀석의 움직임은 확실히 빠르고 날카롭다. 하지만 결국 실속 없는 위협이다. 궤도가 뒤죽박죽일 뿐, 속도 자체는 들개와 별반 다르지 않다. 떠올리는 거야. 들개의 저녁밥이 될 뻔한 적이 몇 번이던가! 반대로 저녁밥으로 만들어 준 적은 또 몇 번이던가……!

무궤도한 애송이의 움직임을 잘 보고 공격을 받아쳤다. 적개심이 솔직해서 고마웠다. 네가 검을 든 순간에 목덜미가 오싹해진다고!

몇 번째인지 모를 공격을 받아치며 나는 애송이의 눈을 보고 웃었다.

"뭐야? 계속 똑같은 짓만 하고, 굉장히 여유를 부리네. ……뭔가 기다리는 거라도 있어?"

애송이는 뒤로 휙 물러났다.

이번에는 고속 기동에 들어가지 않고 검을 든 채 슬금슬금 거리를 재기 시작했다.

"흥. 시간 끄는 거야? 내 관심을 잡아 두면 다른 애들이 도망칠 수 있을까 봐?"

"그럴지도 모르지."

"소용없어. 허사야. 똑똑한 너라면 눈치챘을 텐데? 나는 너희가 어디 있는지 언제든 알 수 있어. 그것과【절적의 허혈】을 합치면 아무리 거리를 벌려 봤자 소용없는 거지."

"그렇겠지. ―다만."

히죽.

망할 애송이가 시건방진 웃음을 지었다.

"그【절적의 허혈】이란 걸 지금도 쓸 수 있다면 말이야."

……뭐라고……?

"해 봐. 다른 아이들이 어디 있는지 조사해서 순간이동으로 쫓아가 보라고. 뭐, 당연히 나는 온 힘을 다해 막을 거지만, 시도하는 거야 자유지. 안 그래?"

……이 녀석, 설마…….

나의…… **나의 비밀**을……!!

"이봐……. 이봐!"

새삼 숨길 이유도 없었다.

나는 뒤쪽―『그 녀석』이 숨어 있을 터인 곳을 향해 외쳤다.

"말해! 애새끼들은 지금 어디 있지?!"

대답이 없었다.

"……이봐, 왜 말이 없어? 어디로 간 거야……?!"

대답이 없었다.

"이봐……! 이봐!!"

뭔가가 무너지는 듯한 느낌이 들었다.

내 발밑을 지탱하던 것이― 연약하게도, 썩은 집처럼.

"이리 나와! 냉큼 나오라고! **베니**이이이이이—!!"

◆

"깜빡 속았어."

당황하여 베니의 이름을— **내통자**의 이름을 외쳐 대는 비키에게 검을 겨눈 채 나는 말했다. ……자, 보너스 타임이다. 나불나불 떠들어서 시간을 벌어라!

"베니를 고문대로 순간이동시킨 것과 정찰했을 터인 복도에 갑자기 나타난 것. 이 두 가지를 보고『이 녀석은 어디로든 순간이동할 수 있다』고 믿어 버렸어."

하지만, 하고 나는 말을 이었다.

"냉정하게 되짚어 보니 이상한 거야. **그 두 가지 모두 인간이 통째로 순간이동한 바로 그 순간을 못 봤어**."

베니를 이동시켰을 때는 수풀 속으로 넘어졌다.

앞질러 나타났을 때는 정찰을 쥐에게 맡겼었다.

둘 다【절적의 허혈】로 사라지거나 나타나는 바로 그 순간을 목격하지 못했다.

"정점을 찍은 건 그거였지. 너는 창고에 숨은 우리를 발견했음에도 불구하고 바리케이드 따위에 발이 묶였어. 가르쳐 줘,『피투성이 암표범』비키 님. 당신은 그때 어째서【절적의 허혈】로 창고에 들어오지 않았지?"

"……윽……!!"

"대답 못 하겠지. 그야 그럴 거야. **너는 인간을 순간이동시킬 수 없으니까!!**"

【절적의 허혈】로 열 수 있는 웜홀의 크기는 술자의 실력에 비례한다. 아마 비키가 열 수 있는 웜홀의 크기는 주먹이 겨우 지나는 정도밖에 안 될 것이다. 인간 같은 건— 도저히 통과시킬 수 없다.

"뭐…… 뭘 근거로 말하는 거야……!!"

어떤 증거보다도 확실하게 말하는 일그러진 표정으로 비키는 나를 노려보았다.

"인간을 순간이동시키지 못한다고? 그럼 네 눈앞에서 베니를 고문대로 순간이동시킨 건? 복도에 나타난 건?!【절적의 허혈】없이 대체 어떻게—."

"잔재주(트릭)야."

"뭐?"

"그 이름도 유명한 『진홍의 고양이』의 두령답지 않은 유치한 속임수야. ……뭐, 일시적이라고는 하지만 거기에 속아 넘어간 나도 아직 어린애란 거지만."

"아냐~ 지 군은 대단해~!"

필이 심각한 상황과 어울리지 않는 밝은 목소리로 말했다.

"나는 전혀 눈치채지 못했는걸! **순간이동하고 나서 베니 군이 왼손잡이가 됐다**니……."

……그랬다. 그게 이 가설을 떠올리게 된 단서였다.

순간이동하기 직전에 베니는 **오른손으로 돌을 주워서** 비키에게 던졌다.

하지만 그 후 부상자를 부축했을 때, 그 녀석이 사용한 건 **왼손**이었다.

게다가 결정적으로 비키한테서 도망칠 때, 내 손을 잡기 위해 그 녀석이 순간적으로 내민 것도 **왼손**이었다.

즉, 순간이동하고 나서 **베니가 주로 쓰는 손이 바뀐 것**이다.

"뭐? 소…… 손?! 그딴 건 얼마든지 설명할 수 있잖아!!"

뭔가를 지키려는 것처럼 비키가 입에 게거품을 물었다.

"우연히 다른 손을 썼을 수도 있지! 애초에 양손잡이일 가능성도 있어! 고작 그딴 이유로……!"

"물론 그게 다가 아니야. **이 도적단에서 너와 베니만 아는 비밀**을 간파한 근거는 또 있어."

"……!!"

얼굴을 굳히는 비키를 보고 나는 내 왼쪽 가슴을 가리켰다.

"아까 창고에 네가 들어와서 도망쳤을 때, 베니를 정면으로 안았어. 굉장히 긴장했었는지 심장 뛰는 소리가 직접 전달됐어. —내 심장에 말이야."

"……뭐……?"

"모르겠어? 내 심장에, 즉, 왼쪽 가슴에 직접 전달됐다고. ―**정면으로 안은 베니의 고동**이. 그건 이상하잖아?"

왜냐하면― 하고 나는 왼쪽 가슴을 가리킨 손을 오른쪽 가슴으로 이동시켰다.

"**심장은 왼쪽 가슴에 있으니까.** 정면으로 마주한 내가 **베니의 고동을 느끼는 건 심장이 없는 오른쪽 가슴이어야 해.**"

"……?!"

비키는 아연실색하여 눈을 크게 떴다. ……그런가. 아무래도 몰랐던 모양이다.

"―『내장 역위증』이야."

나는 그 이상함을 설명하는 말을 고했다.

"인간 중에는 신체 내부가 거울에 비친 것처럼 좌우 반전되어 태어나는 사람이 있어. 베니가 그래. 심장이 오른쪽 가슴에 있는 그런 체질이었어. ―반면 **순간이동하기 전 베니의 심장은 왼쪽 가슴에 있었어.** 『카지노』로 가는 길에 **심장을 누르듯 왼쪽 가슴을 잡는 모습**을 나는 봤어."

베니의 안색이 몹시 좋지 않았기에 기억한다. 공포 때문인지 긴장 때문인지 그때는 판별할 수 없었지만, 지금은 확실히 알 수 있다.

긴장이다.

다가오는 『중요한 승부』에 대비해 긴장을 가라앉히려고 한 것이다. 그래서 심장을 눌렀다!

"우연히 오른손잡이가 왼손을 쓸 수는 있겠지. 양손잡이일 수도 있겠지. 하지만 비키, 너한테 묻겠는데— 우연히 심장의 위치가 바뀔 수 있어? 아니면 양쪽 가슴에 심장이 있을 수 있어?"

"……윽…… 으으으……!!"

"없겠지. 그것만큼은 있을 수 없어. **다른 사람으로 바뀌지 않는 한!**"

나는 도적이 준비한 하찮은 잔꾀를 남김없이 폭로했다.

"『미러 트윈』— 쌍둥이 중에는 거울을 보는 것처럼 좌우 대칭의 신체적 특징을 가지고 태어나는 쌍둥이가 있다고 해. 한쪽이 오른손잡이라면 다른 한 명은 왼손잡이인 식으로. 그리고 때로는 내장까지 전부 반대가 돼."

쌍둥이.

매우 닮았지만 다른 사람.

"네가 밀친 베니는 수풀 속에 파묻혔어. 그 타이밍에 맞춰 **고문대 상부의 수납공간**에 숨어 있던 쌍둥이가 아래로 떨어졌어. 그럼으로써 베니가 순간이동한 것처럼 보였어. 그게 전부인 너무나도 간단한 속임수였던 거야."

애들이나 속을 만한 유치한 속임수다. ……비키가 속이고 싶었던 건 애들이 아닌 것 같지만.

"……말도 안 돼……!!"

비키는 이를 드러내며 나를 노려보았다.

"센리 공화국에서 우연히 본 완전 비주류 재주를 따라

한 건데……! 너 같은 어린애가 어떻게……!!"

……아아, 그런가. 이 세계에서 마술(매직)은 비주류인가.

쌍둥이를 이용한 순간이동 같은 건 진부하기 짝이 없는 마술인데 어째서 부하 도적들이 눈치채지 못했는지 의문이었지만— 정령술이 있는 세계에서 사람이 나타나거나 사라지는 것 정도는 볼거리가 안 되는 건가…….

"……덧붙여 말하자면 우리의 위치를 알아낸 것도 베니와 쌍둥이 형제지? 뒤바뀐 후에도 베니는 바뀌기 전의 대화를 기억하고 있었어."

—너희는 정말로…… 정의의 사도 같아…….

아이들을 구하러 돌아갔을 때, 베니는 그렇게 말했다. 『정의의 사도』는 또 다른 베니에게 한 말일 텐데.

"말을 맞출 기회도 없었는데— 마치 옆에서 같이 얘기를 들은 것처럼."

그게 가능한 정령술을 나는 알고 있다.

통신 수단이 될 수 있는 정령술 중 하나로서.

"정령 〈나베리우스〉의 【삼시의 문수】— 타인과 정신을 공유하는 정령술. 그걸 사용해 우리의 위치 정보를 알리게 한 거겠지."

"……칫……!"

"그렇다면 얘기는 간단해. 정신을 공유하기에 한쪽을 설득하면 다른 쪽도 따라와. 네 옆에서 연락을 담당하던 베니도 진작 도망쳤겠지."

비키는 이를 갈며 단검을 휘둘렀다.

하지만 경계하고 있었던 나는 공간을 초월한 칼날을 백스텝으로 피했다.

"망할 애송이……!! 연락책이 한두 명 없어졌다고 달라질 건 없어!! 애새끼들이 열 명이나 줄줄이 걸어가면 잔꾀를 부리지 않아도 간단히 찾을 수 있다고……!!"

"그건 그렇지. 복잡기괴한 이 요새는 길을 알아도 이동하는 데 시간이 걸려. 어른의 다리로 쫓으면 탈출하기 전에 따라잡힐지도 몰라."

"그걸 알면 냉큼 포기하고—."

"평범한 길로 간다면 말이야."

비키가 하려던 말을 삼켰다.

"—너…… 거기까지……!!"

"네가 【절적의 허혈】로 자기 자신을 순간이동시킬 수 없다면, 안전을 확인했을 터인 복도에 어떻게 갑자기 나타날 수 있었을까? 답은 하나밖에 없지. 『우리가 눈치채지 못한 문으로 평범하게 나온』 거야."

나는 비키의 일거수일투족을 감시하며 말을 이었다.

"창고에 숨었을 때, 위화감이 들었어. 지도로 본 것보다 좁게 느껴졌거든."

당시에는 잡동사니가 많아서 그런 줄 알았다. 하지만 내 감각은 진실을 포착한 것이었다.

"아마 어느 방에 들어가도 십중팔구 똑같은 위화감을 느꼈을 거야. 왜냐하면 실제로 **지도에 그려진 것보다 좁으니까**—아니, **지도의 방이 실제보다 크게 그려졌다**고 해야겠지."

정확한 척도로 그려진 지도보다 실제 방이 좁다.

그건 무엇을 의미하는가.

"이 요새는 방과 방 사이에 부자연스러운 데드 스페이스가 많아. 대충 증축한 탓이라고 할 수 없을 만큼 많아. 심지어 지도에는 그것들이 전부 없는 것으로 되어 있어. 그걸 알고서 상상하지 않는 게 더 이상하잖아? —이 요새에는 비밀 통로가 있는 게 아닐까, 하고 말이야."

비밀 통로— 숨은 샛길.

말하자면 인공적인【절적의 허혈】.

"복잡기괴한 이 요새에서 비밀 지름길을 쓰면 남들 눈에는 거의 순간이동처럼 보여. 생각해 보면 부자연스러웠어. 이 요새는 너희의 인원수에 비해 너무 커. 아지트로 삼기에는 부적절해. 그런데도 이곳을 거점으로 쓰는 건, 비밀 통로를 이용하여 부하들에게 정령술 실력을 부풀려 보여 주기 위해서지? 『카지노』 때 유치한 속임수를 쓴 것도 너를 중심으로 구심력을 높이기 위해서지?"

난폭한 이들의 모임인 도적단을 아우르기 위한 눈물겨운 잔꾀였다.

자신을 정령술의 달인으로 포장한 것이다.

『피투성이 암표범』이라는 이명을 유독 자주 말하는 것도 분명 그래서일 거다.

“너는 자기 자신을 순간이동시킬 수 없다는 걸 부하들에게 숨겼어. 비밀 통로가 있다는 걸 숨겼어. 그렇다면 이렇게 생각하는 게 자연스럽겠지. —비밀 통로를 역이용하면 누구에게도 들키지 않고 매우 안전하게 이곳을 탈출할 수 있어.”

생각해 낸 뒤로는 간단했다.

우선 필에게 부탁해 대량의 쥐를 동원하여 비키와 조우했던 그 복도를 조사시켰다. 그러자 예상대로 비밀 통로의 입구가 발견됐다.

그 후 쥐들에게 비밀 통로의 맵핑을 맡기고, 완료되자마자 내통자인 베니의 쌍둥이에게 협력받아 비키를 유도. 순조롭게 유인해 낸 다음, 내가 시간을 끄는 동안 아이들이 비밀 통로로 도망치면 끝이다.

덧붙여 비밀 통로를 군데군데 파괴해 뒀기에 내가 비키를 놓치더라도 그리 간단히는 뒤쫓을 수 없다.

“부하에게 비밀 통로를 알려 줬었다면 이제라도 명령해서 아이들을 잡을 수 있었을지도 모르지. 옹졸한 잔꾀로 자신을 과대 포장한 대가야, 『피투성이 암표범』.”

“……그럼 안 돼?”

원한을 형상화하듯 비키가 중얼거렸다.

"자신을 과대 포장하는 게 그렇게 잘못된 거냐고!! 너 같은 재능 있는 녀석은 모르겠지!! 내가 지금까지 얼마나."

"잘못된 건 아니고, 좀 더 말하자면 관심도 없어."

나는 흔들림 없이 검을 겨눈 채 말했다.

"너한테 어떤 사정이 있든, 어떤 과거가 있든, 어떤 열등감이 있든, 알 바 아니야. 너는 지금까지 얼마나 죽였지? 얼마나 많은 아이의 손발을 잘라 냈지? 어떤 사정이 있으면 그 행위가 용서되는데? 용서될 리 없어. 용서될 리가 없잖아."

나는 알고 있다.

사랑해서 그렇다고 예쁜 말로 포장하며 차례차례 살인을 저질렀던 인간을.

나는 그 녀석을 용서하지 않는다.

그 녀석 같은 인간을 용서하지 않는다.

"비키. 자칭『피투성이 암표범』. 사람을 사람으로 여기지 않고, 어린아이를 물건처럼 다루며, 게다가 그걸 당연한 일이라고 정당화한, 손쓸 도리가 없는 해악—."

"—너에게 전생의 기회가 주어지지 않기를 진심으로 기도한다."

비키의 이마에 굵은 핏줄이 불거지는 게 보였다.

입술이 떨리고, 어깨가 떨리고, 손이 떨리고, 단검이 떨리고—.

"—죽어어어어어어어어어어어어어어어어어어어어어어어어어어어어어어어어어어어어어어!!!!"

절규와 함께 비키가 단검을 찔렀다.

웜홀을 통해 공간을 초월하여 닥쳐오는 찌르기. 찔린다면 나 같은 어린아이는 간단히 목숨을 잃을 것이다. 그래, 찔린다면.

살의가 너무나도 명료했다.

죽이는 것만 생각하고 맞히는 것을 생각하지 않는 초보적인 찌르기였다.

심장을 노린다는 게 뻔히 보였다. 그래서 검으로 간단히 쳐 낼 수 있었다.

힘을 담을수록 그 반동은 크다. 단검은 비키의 손에서 튕겨 날아가 땅을 굴렀다.

"……이제 시간을 끌 필요도 없겠어."

아이들이 요새를 나갔을 무렵이다. 라켈이 도와주러 올 시간도 다가오고 있다.

나는 무기를 잃은 비키에게 육박했다.

사람에게 검을 휘두르는 것이 새삼 망설여지지는 않았다.

이미 가족을 죽였으니까.

하나뿐인 동생을 두 번이나 죽였다.

하물며 동정의 여지도 없는 해악이라면— 망설일 이유가 대체 어디 있는가?

"……개자식……!!"

비키는 표정을 비대칭적으로 일그러뜨리고서 나를 노려보았다.

그 손에는 이제 무기가 없었다. 내 검을 막을 수단은 없다.

자, 죽어라. 사라져라.

세상을 위해, 사람들을 위해, 나 같은 사람을 더는 만들지 않기 위해—!!

"—각오해, 애송이."

무게를 원래대로 되돌리며 내려친 검에 강렬한 충격이 돌아왔다.

……막았어……?

아니— 튕겼어?

자세가 무너진 나는 어떻게든 땅을 박차 비키와 거리를 벌렸다.

다시금 도적의 모습을 확인하니— 상처 하나 없이 멀쩡했다.

조금 전과 다른 점이라고는 하나뿐이었다.

주먹.

움켜쥔 손가락에 은색으로 빛나는 것이 끼워져 있었다……!

—너클……?!

설마 저걸로 검을 튕겨 낸 건가……?! 아무리 어린아이의 근력이라지만, 장검의 중량을 주먹으로 받아치다니……!

"……애새끼 상대로 이걸 쓰게 될 줄이야……."

비키는 너클을 낀 주먹을 천천히 가슴 앞에 들었다.

"어른스럽지 못하네……. 어린애랑 필사적으로 싸우고……. 굴욕이야. 정말로 굴욕이야!!"

비키가 주먹으로 공격하려는 동작을 보인 순간, 나는 《우익의 품새 · 현조》를 이용한 고속 기동에 들어갔다.

이로써 저 녀석은 나를 포착할 수 없—.

"—윽……?!?!"

뚜둑뚜둑뚜둑.

좋지 않은 소리가 났다.

아팠다. 출처를 찾았다. 아팠다. 아픔을 찾았다. 아파, 아파, 아파—!!

갈비뼈였다.

내 갈비뼈가 찌그러진 소리였다.

"—컥."

나도 처음 들어 본 끔찍한 소리가 목 안쪽에서 자연스럽게 흘러나왔고, 직후, 【자립의 투익】을 쓴 것도 아닌데 내 발이…… 땅에서 떠올랐다.

단단한 지면에 떨어져 튀고 벽에 전신을 부딪쳐서— 손에서도. 발에서도. 힘이 빠져서. ……그 자리에. 털썩. 쓰러졌다…….

"지 군!!"

흐릿한 시야로 필이 달려오려는 것이 보여서 나는 어떻게든 손으로 제지했다.

힘이…… 팔에 힘이, 들어가지 않았다……. 그토록 고생해서 단련한 근육이 갑자기 전부 사라진 것처럼…….

그래도 억지로 몸을 일으킨 순간.

"윽, 케에에에엑……!"

입에서 핏덩이가 나와 땅에 후드득 뿌려졌다.

아……파…… 괴로, 워……. 숨을…… 제대로, 못 쉬겠…….
이거…… 내장…… 당했, 어……? ……아니, 그보다…….

……나, 죽어……?

"아까는 건방진 소리를 실컷 지껄여 댔지? 응?"

도적이 아까와는 딴판인 예리한 시선으로 땅에 엎어진 나를 내려다보았다.

"생각대로 현실이 진행되는 건 즐거웠어? 어른을 갖고 놀고 무시하며 우월감에 잠겼어? 이길 수 있을 줄 알았어? 이긴 줄 알았어? 이 녀석은 자신보다 약하다고 깔봤어? 기억해 둬. 그런 걸『자만심』이라고 하는 거야.”
그 자리에서 한 발짝도 움직이지 않고.
자신에게 유리한 거리를 절대 포기하지 않고.
『피투성이 암표범』, 여도적 비키는 말했다.
“확실히 너는 애송이치고 대단해. 천재일지도 몰라. 하지만 기본적인 사실을 잊어버렸나 봐? 이 망할 세상에서 내가 너보다 20년은 더 오래 살았다는 걸 말이야!!”
전생에는 어드밴티지가 있다. 이전 생의 기억은 갖고 있는 것만으로도 유리하다. ……다만 그건 어린애치고는 유리한 것일 뿐…… 나보다 빨리 태어나 나보다 오래 이 세계에서 살아온 어른은…… 결코 당해 낼 수 없다.
고작 7년으로 뭘 알았지? 아이의 좁은 세계에서 뭘 깨달았지? ……아아, 나는 전혀 모른다. 정신이 살짝 늙었을 뿐…… 이 세계에서 나는— 정말로 고작 일곱 살일 뿐이다.
열 살에 신동, 열다섯에 수재, 스물을 넘으면 보통 사람.
그렇다면.
……나는 신동의 탈을 쓴 보통 사람일 뿐이다.
“일어서, 망할 애송이. 2라운드다. —어른의 무서움을 가르쳐 주마.”
나는 비틀비틀 일어나며— 옅게 웃었다.
……아아, 잘 가르쳐 줘어. 잘 상기시켜 줘어.
선물받은 재능에 취해서, 전생의 어드밴티지에 안주하

여, 낙승 무드에 빠져 자만해서— 다른 누군가가 다치기 전에.

그 주먹으로 나를 잘 때려 줬다.

이 아픔이 교사다. 이 고통이 스승이다. 더 가르쳐 줘. 더 알려 줘. 내가 두 번 다시 무력함을 탄식하지 않도록. 죽게 내버려 두는 걸 변명하지 않도록—.

—내 인생의 초석이 되어라, 『피투성이 암표범』.

새벽의 빛

몸 상태는 최악이었다. 아프고, 힘이 안 들어가고, 메스꺼움은 가실 줄을 몰랐다.

하지만 그것을 꾹 참고 나는 검을 움켜쥐었다.

현실적으로 말하자면 필을 데리고 냉큼 도망치면 됐다. 더 시간을 끌 필요는 없었다. 아이들은 진즉에 폐요새를 빠져나갔을 것이다.

하지만— 봐라, 저 도적의 눈을.

나만 보고 있다.

내 목숨만 보고 있다.

나라는 존재를 자기 손으로, 자기 발로 짓뭉개는 것만이 자신의 영혼을 구제할 유일한 방법이라고 진심으로 믿고 있는 눈이다.

분명 나도— 동생을 죽일 때 저런 눈을 하고 있었다.

그러니 죽고 죽일 수밖에 없다.

살거나 죽을 수밖에 없다.

이전에는 죽이는 측. 이번에는 죽는 측.

이건 내게 있어 약 7년 만의—.

—생존 투쟁.

나는 피와 침이 섞인 것을 땅에 뱉고 소매로 입가의 피를 닦았다.

자, 생각해.

체격도 근력도 달리고, 어쩌면 정령술을 다루는 실력도 뒤떨어질지 모르는 내가 유일하게 비키와 대등한 것은 두뇌뿐이다. 전생에서 가져온 이 영혼뿐이다. 자만이란 말을 듣더라도 내가 믿을 수 있는 건 이 반칙뿐이다.

저 녀석은 대체 뭘 했지?

너클을 장비했다고는 하지만, 평범한 주먹으로 어떻게 내 검을 받아쳤지? 그리고 고속 기동 중인 나를 어떻게 때렸지?

어떤 사소한 정보도 놓치지 마.

"—!!"

체중을 없앴다. 땅을 박찼다. 대지의 사슬에서 풀려나 나를 물리 법칙의 바깥쪽에 뒀다.

《우익의 품새 · 현조》.

예비 동작이라고는 전혀 없이. 첫 발짝부터 최고 속도로. 프리즘 안을 난반사하는 빛처럼 나는 폐요새의 안뜰을 뛰어다녔다!

"—하아!!"

너클로 무장한 주먹이 공기와 공간을 사납게 갈랐다.

【절적의 허혈】.

공간에 열린 벌레 구멍을 주먹이 통과했다.

거리를 무시할 수 있다고는 하지만, 지금까지는 내 《현조》를 쫓아오지 못했을 터다.

《현조》의 강점은 인간의 직감에 어긋난다는 것이다.

그 속도와 궤도라면 이렇게 움직이겠지— 하는 무의식적인 어림짐작을 관성 캔슬이라는 변칙이 틀어 버린다. 경험을 축적한 상대일수록 효과적이라고 라켈이 말했다.

하지만.

"—크……!"

맞았다.

옆구리에 일격, 둔탁한 충격과 아픔. 단단한 너클이 살에 파고들었다.

하지만 역시 두 번째다 보니, 이번에는 정통으로 맞지 않았다. 나를 부유시켜서 충격을 흘렸다.

몸이 휙 날아갔지만 계산했던 바다. 벽에 격돌한 반동을 이용하여 탱탱볼처럼 뛰었다.

벽에서 벽으로.

벽에서 벽으로.

벽에서 벽으로.

평범한 인간의 싸움에서는 있을 수 없는 삼차원 기동. 별로 복잡하게 나는 것도 아닌 날벌레를 놓칠 때가 있는 것처럼— 인간의 눈은 이 움직임을 좇을 수 있게 만들어지지 않았다!

좌우로 얼굴을 움직이던 비키가 뒤통수를 보인 순간, 나는 예각으로 턴하여 검으로 등을 노렸다.

"—이쪽인가!!"

곧장 비키가 나를 눈치챘다. 칫! 역전의 감인가……?!

상관하지 않고 검을 휘둘렀다.

동시에 비키가 주먹을 내질렀다.

검과 권(拳). 발음은 비슷해도 살상력은 천양지차다. 검은 사람을 죽이기 위해 있지만 인간의 손은 그렇지 않다. 그러니 정면으로 부딪치면 어느 쪽이 이길지는 명백했다. 근력과 체중이 차이 나더라도 평범하게 생각하면……!

둔탁하고 큰 금속음이 났다. 꽈아아앙!! 마치 범종이라도 울린 것 같았다. 여러 겹으로 이루어진 충격에 팔이 저렸다. 그것이 검과 주먹이 정면 격돌한 것의 승패를 보여주고 있었다.

주먹이 검을 받아쳤다.

"젠장—!!"

"하! 조금 더 단련하고 와."

나는 의기양양한 비키와 거리를 벌리고 다시 고속 기동에 들어갔다. 비키가 추격타를 날렸지만 이번에는 허공을 때리는 데 그쳤다.

어째서, 어째서, 어째서……?!

일어날 수 없는 일이 일어나고 있었다. 그런 느낌이 들었다.

망치로 맞은 것 같은 조금 전의 충격은 명백하게 평범한 주먹의 위력이 아니었다!【절적의 허혈】은 떨어져 있는 장소를 연결하는 정령술이다. 그 외의 힘은 없을 텐데……!

내가 움직이는 동안에도 비키는 엷은 웃음을 머금고서 주먹을 들고 있었다. 그 모습에는 여유가 있었다. 기다리면 이길 수 있음을 아는 것이다.

라켈의 농담 같은 기초 메뉴를 소화해 온 덕분에 아직 체력에는 여유가 있었다. 하지만 인간의 몸은 반고리관을 셰이킹하는 듯한 이런 움직임을 상정하고 만들어지지 않았다.

머지않아 한계는 반드시 온다. 비키는 그걸 기다리고 있었다.

그러니 간파해야 한다. 속도라는 갑옷이 나를 지켜 주는 동안, 주먹의 비밀을.

틈을 봐서 몇 번 공격했지만 비키는 모조리 반응하여 받아쳤다.

백발백중이었다.

순간적인 요격일 텐데 얇은 검날을 정확히 보고 주먹을 댔다.

터무니없는 달인의 기술이었다. 하지만 평범한 도적인 비키가 과연 그 정도 달인이 될 수 있을까?

시야 끄트머리에서 뭔가가 반짝이며 빛났다.

먼지? 눈? 유리? 아니, 전부 틀렸다.

반짝반짝 빛나며 흩날리는 것은 깨진 검 조각이었다.

한계가 있는 건 이쪽도 마찬가지인가! 무기를 잃으면 더 더욱 승산이 없어진다……!

초조하게 검의 상태를 확인했을 때— 나는 이상하다는 걸 알아차렸다.

검날 전체가 깨져 있었다.

일부가 아니라. 한군데가 아니라. 밑에서부터 끝까지 전체가.

상대의 주먹은 하나뿐인데도.

마치 **무수한 주먹이 동시에** 검날 전체를 때린 것처럼—.

"—아."

……그런 거였나……!

이론상으로는 가능하다. 직감에는 어긋나고, 자연의 섭리에도 어긋나지만, 대상은 정령술이다. 무슨 일이 벌어지든 이상하지 않다. 【절적의 허혈】은 이렇게도 쓸 수 있나!

이 추측이 맞는다면…… 그럼 어쩌지?

회피는 어렵다. 정면 돌파도 어렵다.

내게는 화력이 부족하기 때문이다. 근력이, 체중이, 체격이 부족하다. 비키를 압도하려면 단순한 힘이 필요하다.

그걸 어떻게 만들어 내지?

뛰어다니며 생각하는 내 귀에— 불현듯 소리가 들렸다.

그 음원을 찾아.

—나는 상공을 힐끔 보았다.

◆

웃어라.

웃고 있으면 나는 냉철하다.

나는 머릿속을 차갑게 식히고서 파리처럼 윙윙 날아다니는 애송이를 계속 좇았다.

아까처럼 욱하면 끝이다. 냉철하게 대처하면 상대가 알아서 자멸해 준다. 그다음에 천천히 응징해 주면 된다.

하지만 이 영악한 애송이가 정말 이대로 체력을 다 쓰고 뻗을까?

조금 전에 내가 말하지 않았던가. —이길 수 있을 줄 알았다. 이긴 줄 알았다. 그걸 자만심이라고 한다.

어린애라고 해서 방심하진 않겠다. 신중하게, 신중하게. 냉정하게, 냉정하게. ……일을 차근차근 소화하듯 마음을 죽이고 대처하는 거다…….

"……응?"

바보처럼 고속 이동을 되풀이하던 애송이가 새로운 움직임을 보였다.

상공을 향해 일직선으로 날아오른 것이다.

대체 무슨 속셈이지……? 그 앞에는 하늘밖에 없다.

"이봐, 망할 애송이!! 계집애를 버리고 혼자 도망치려는 거냐?!"

지상에는 여자아이가 남아 있었다. 도망칠 속셈이라면 이 녀석도 데려갈 터다.

만약 정말로 버리고 가려는 겁쟁이라면 봐줄 필요가 없다. 내가 한 방 먹여서 떨어뜨려 주겠다.

그렇게 생각하고 주먹을 쥔 순간.

"걱정하지 않아도—."

새까만 밤하늘을 향해 상승하던 애송이가— 갑자기 정지했다.

"—안 도망쳐!!"

그리고 반전했다.

상승에서 하강으로, 하늘에서 갑자기.

내게는 그것이— 안 보이는 천장을 찬 것처럼 보였다.

마치 산에서 떨어져 나온 암괴 같았다.

나를 짓뭉개기 위해 애송이 하나가 지상으로 추락했다!

"오오오오오오오오오오오오오오오오오오오오오오오!!"

건방진 포효와 함께 애송이가 검을 휘둘렀다.

진정해, 진정해. 웃어, 비키! 하는 일은 똑같다. 때려서 받아칠 뿐이다. 내 주먹은 최강이다—!!

"윽……?!"

"으아아……!!"

주먹에서 어깨까지 충격이 관통했다.

검을 받아치는 데는 성공했다. 애송이의 자세는 크게 무너졌다. 기회다. 지금이라면 맞힐 수 있다. 그저 반대쪽 주먹을 휘두르기만 해도—!!

하지만 내 몸도 똑같이 뒤로 젖혀져 있었다.

뭐……야! 반동이 왜 이렇게 세!

수직 하강으로 체중을 남김없이 사용했으니 위력이 다소 올라가는 건 이해가 간다. 하지만 그 『다소』가 너무 크다! 몇 배는 더 커진 것 같다……!

설마.

이 애송이— 벌써 눈치챈 건가? 내 주먹의 속임수를!

망할 애송이는 땅에 내려서며 내 얼굴을 올려다보았다.

그리고— 씩 웃었다.

"『점』이 모이면 『면』이 돼."

내 등에 칼을 꽂는 것처럼 애송이는 말했다.

"그런 거지? 근육녀. 너는 **주먹을 늘린** 거야. 【절적의 허혈】의 **출구**를 여러 개 만들어서!"

그랬다. 그게 내가 사용하는 【절적의 허혈】의 비법이었다.

떨어진 두 공간을 연결하는 구멍의 입구와 출구— 그중 출구만을 여러 개 만들면 어떻게 되는가.

입구를 통과한 것이 전부 출구로 나온다.

즉, 분열하는 것이다. 완전히 똑같은 것이 출구의 수만큼. 물론 그건 자연의 섭리에 크게 어긋난다. 그래서 그런지 늘어난 것은 몇 초 만에 사라져 버린다.

하지만 몇 초면 충분했다.

무수히 늘어난 주먹으로 몇십 방의 펀치를 한순간에 날리는 데는 말이다.

주먹이라는『점』도 대량으로 모이면『면』이 된다. 아무리 빨리 도망쳐도 동시에 날아드는 무수한 펀치를 피하기는 어렵다. 그리고 물론 위력은 평범한 펀치의 몇 배가 된다!

—하지만 그건 양날의 검이다.

상대에게 주는 상처가 몇 배가 된다는 것은 내가 받는 상처도 몇 배가 된다는 것— 아무리 단련된 주먹이어도 뭔가를 때리는데 안 아플 수는 없다. 그 아픔이, 반동이, 주먹을 늘린 만큼 커진다.

지금까지는 애송이의 공격이 가벼웠기에 무시할 수 있었다. 0이 아무리 많아도 0이다. 빈털터리를 아무리 습격한들 수확은 없다.

하지만 지금, 애송이는 체중을 한껏 사용하여 0을 1로 만들었다! 그것이 몇 배가 되어 내 주먹을 받아쳤다……!

“시험해 보자.”

마음에 안 드는 웃음을 지으며 — 그러나 이마에 땀이

맺힌 채 — 망할 애송이가 말했다.

"내 검과 네 주먹, 어느 쪽이 먼저 망가지는지—!!"

망할 애송이가 땅을 박찼다.

작은 그림자가 순식간에 하늘 높이 날아올랐다.

—냉정해지는 거다. 열 올리지 마! 이딴 건 급하게 생각해 낸 임시변통이다. 침착하게 대처하면 된다……!

망할 애송이가 밤하늘의 중앙을 찼다.

젠장! 어떻게 된 거야……! 명백하게 이상한 현상에 욕을 내씹으며 나는 크게 옆으로 뛰었다.

『시험해 보자』 같은 소리 하네. 상대해 줄 것 같아? 멋대로 땅에 처박혀서 죽어라!

급강하한 애송이는 내가 피한 것을 보자마자 고양이처럼 자세를 휙 바꿔 착지하더니 용수철처럼 재차 도약했다.

반격할 틈조차 보이지 않는 매끄러운 동작이었다. 아아, 이래서 애새끼는 싫다! 적응한 거다. 아마도 처음 시도했을 이 전법에, 빨리도!

땅과 밤하늘을 오갈 때마다 애송이의 움직임은 더 예리해졌다.

처음에는 그것을 낙석에 비유했었다.

하지만 이제 그것은 호우였다.

끊임없이 쏟아지는 검의 호우— 어떤 천재도 비를 피할 수는 없다!

나는 어떻게든 주먹으로 방어했고, 그럴 때마다 팔뼈가 삐걱거렸다.

이 녀석은 뭐야……! 어떻게 하늘을 찰 수 있지?! 이것도 정령술인가. 무게를 지우는 게 다가 아닌가? 아니, 그랬다면 더 일찍 썼을 거다……!

냉정해져. 웃어. 여유로운 척 생각해!

왜 처음부터 이 전법을 쓰지 않았지? 시간이 걸리니까— 준비가 필요했으니까— 준비? 준비, 준비, 하늘을 차는 데 필요한 거라면 당연히—.

—발판이다.

나는 검의 호우를 막으며 밤하늘을 응시했다.

……밤하늘?

아니…… 아니다, 아니다, 틀렸다!

저건…… 밤하늘이 아니다.

밤하늘에 있어야 할 별들의 빛이 없었다.

밤하늘을 가득 메운 칠흑색 그것은—.

—무수한, 대량의, 까마귀 떼……!!

눈치채지 못했다.

흡사 낙엽에 몸을 숨기는 사마귀 같았다. 밤하늘의 검은색에 섞여 새까만 까마귀가 무리 지어 있었다! 애송이는 까마귀를 발판으로 삼고 있는 것이다……!!

우연이 아니다. ……이런 일을 누가 할 수 있지?

나는 기억한다. 『카지노』 때, 다 죽어 가던 멧돼지가 갑자기 일어나서 날뛰었던 것을.

그것도 분명 정령술로 한 짓이다. 누가? 뻔할 뻔 자다. 저 망할 애송이가 아니라면 남은 건 한 명……!

나는 곁눈질로 그 녀석을 보았다.

싸움에 휘말리지 않을 곳으로 피난하면서도 적의 어린 눈으로 나를 보고 있는 그 녀석을.

망할 애송이와 같이 잡아 온 계집애.

저 녀석의, 동물을 다루는 정령술이다……!!

"망할…… 계집녀어어어어어언!!"

위에서 휘둘린 검을 받아치자 오른팔이 저리고 아팠다. 그걸 무시하고 나는 까마귀를 조종하는 계집년을 노려보았다.

내 【절적의 허혈】은 보이지 않는 곳에는 『구멍』을 만들 수 없다.

하지만 보이는 범위라면 어디든 주먹을 보낼 수 있다……!!

왼손을 주먹 쥐어 휘둘렀다.

자세가 나빠서 별로 힘이 들어가지 않았지만 충분했다. 망할 애송이의 검과 비교하면 웃음이 날 만큼 가벼운 감촉이 들더니 계집년이 작게 비명을 지르며 옆으로 쓰러졌다.

"필!!"

비통함과 걱정, 그리고 분노가 뒤섞인 목소리가 머리 위에서 들려왔다.

나는 흡족하게 웃었다.

"—필한테 무슨 짓을 한 거야, 망할 할망구!!"

검을 치켜든 애송이가 위에서 쇄도했다.

하지만 나는 웃었다. 그래, 웃었다. 웃고 있으면 나는 냉철하다.

—하지만.

이봐, 애송이. 너는 제대로 웃고 있어?

◆

필이 맞은 것을 본 순간, 머릿속이 뜨겁게 타올랐다.

모든 사고가 날아가고 비키를 베겠다는 생각밖에 안 들었다.

그래서…… 그건 당연한 결과였다.

라켈이 입에 침이 마르도록 수없이 가르쳤었다.

—전장에서는 냉철함을 잃은 녀석부터 죽는다.

눈앞에서 별이 흩어졌다.

아프다고 생각했을 때, 나는 이미 땅에 쓰러져 있었다.

천둥소리처럼 뒤늦게 직전의 기억이 재생되었다.

주먹이 사방에서 육박한 것이다.

분열한 주먹이 전신을 연달아 때린 것이다.

그리고 나는 공격하겠다는 생각만 하느라…… 상대의 공격을 막을 준비를 조금도 하지 않았다…….

"하아…… 비장의 수단까지 썼는데 이렇게 애먹을 줄은 몰랐어."

비키가 숨을 몰아쉬며 나를 내려다보았다.

"인정해 주마. 너는 강해. 덕분에 오른손이 이 모양이야."

마치 수없이 바위에 부딪친 것처럼 피부가 벗겨지고 살이 드러난 오른손을 비키가 흔들었다.

"……아깝네. 그 나이에 그 전투력. 변태 귀족의 컬렉션으로 만들기엔 너무 아까워. 『진홍의 고양이』에 들어오는 건 어때? 우리 애들은 아무래도 바보들뿐이라서 너처럼 머리 좋은 녀석이 있으면 좋겠는데."

나는 아주 조금 남은 여유를 긁어모아 아니꼽게 웃었다.

"……영광스러운 제안이네. 하지만 네 도적단에는 결정적으로 부족한 것이 세 가지 있어."

"흐응? 후학을 위해 들어 보기로 할까."

"첫째, 지성. 둘째, 품성. 셋째, 기특하고 사랑스러운 여자아이."

직후 비키는 못 참겠다는 듯 웃음을 터뜨렸다.

"하…… 하하하!! 애새끼 주제에 괜찮은 농담을 다 하네!! 더더욱 아깝잖아!!"

"……헛소리. 나를 향한 살의가 전혀 숨겨지지 않았어. 너는 그저 내가 꼴사납게 목숨을 구걸하는 걸 보고 싶은 거야……."

"그래, 맞아. 그걸 알아차린 것만큼은 정말로 도적 체질인데 말이지……. 도적단은 낙오자의 모임이야. 너처럼 가만있어도 호사스러운 인생이 손에 들어오는 녀석을 들일 틈 같은 건 어디에도 없어."

가만있어도……. 정말 그랬다면 좋았을 텐데.

내 표정을 내려다본 비키는 「흥」 하고 콧방귀를 뀌었다.

"아무래도 각오는 된 모양이네. 재미없게."

"나를 팔아넘길 건가……? 산 채로?"

"물론이지. 너는 상품이야. 상품을 자기 손으로 망가뜨리는 상인은 없어."

"상인? 그런 좋은 머리가 필요한 일을 하는 사람은 아니잖아."

"그 건방진 혀를 잘라 주고 싶어졌지만…… 그보다 좋은 곳이 있지."

비키는 이가 너무 빠져서 톱처럼 된 검을 내 손에서 뺏었다.

그리고 그 끝으로 내 오른쪽 손목을 콕콕 찔렀다.

"손이야. 네 양손을 잘라 줄게. 부지런히 단련했을 정령술도 이제 쓰기 어려워지겠지."

"……그건 곤란한데."

나는 최대한 평온한 목소리로 대답하며 열심히 머리를 굴렸다.

뭔가 없을까. 뭔가 없을까. 뭔가 없을까.

상황을 역전할 수 있는 한 수는 없을까.

몸은…… 아직 간신히 움직인다.

하지만 지금 움직이더라도 비키를 쓰러뜨릴 방법이 없다.

역시 화력. 공격력이 필요하다.

비키의 주먹을 정면으로 찍어 누를 수 있는 압도적인 공격력이……!!

"자, 그럼 얼른 끝내 버릴까. 새벽에는 『그녀』한테 넘겨야 하거든."

"『그녀』……?"

넘긴다고……? 중개인(브로커) 같은 녀석이 있나?

비키는 「칫」 하고 혀를 찼다.

"……얼떨결에 말했네. 나도 자만한 모양이야. 뭐, 상관없나."

심드렁하게 중얼거리고 발로 내 아래팔을 눌렀다. 마치 목재를 톱질할 때처럼.

"날뛰지 마. 내 손이 삐끗하면 괜히 너만 더 아플 테니까. 아, 그럼 날뛰는 편이 좋겠네."

내 팔을 밟은 부츠는 밑창이 두꺼웠다. 의복 정도의 얇기라면 모를까, 이래서는 비키를 부유시킬 수 없다.

어쩌지? 어쩌지?! 어쩌지……?!

"하나, 둘―!!"

구호를 외치며 비키가 검을 치켜들었고.

―필의 목소리가 들렸다.

"지 군! 위에!!"

위?

나는 위로 들린 검보다 더 높은 곳을 보았다.

비키도 필의 목소리에 반응하여 아득한 위쪽을 올려다보았다.

내 발판이 되었던 까마귀는 이제 어디에도 없었다.

―하지만 그 대신.

독수리 여러 마리가 편대를 이루어 밤하늘을 날고 있는 것이 보였다.

그 발에 묶인 밧줄에 검 한 자루를 매달고서.

그건 마치 언젠가 텔레비전으로 봤던 헬리콥터 공수 같았다.

검을 묶은 밧줄이 풀렸다.

중력을 따라 검이 똑바로 낙하했다.

똑바로— 즉, 나와 비키가 있는 곳에.

"이게 무슨……!!"

깜짝 놀란 비키는 황급히 내 팔에서 발을 치우고 물러났다.

자유로워진 나도 땅을 힘껏 굴러 도망쳤다.

직후, 추락한 검의 끝부분이 땅에—.

————————————————————————

————————————————————————

————————————————————!!!!!!

소리조차 날아갈 정도의 충격이었다.

땅속 화산이 분화했나 싶은 대폭발이 일어났다.

아니, 실제로 그건 폭발이 아니었을 거다.

불이 없었다. 조금도 뜨겁지 않았다. 그러니까 역시 충격이라고 말할 수밖에 없었다. 하늘에서 내려온 검 한 자루가 땅을 통째로 뒤집을 만한 충격을 일으켰다고, 그렇게 이해할 수밖에 없었다.

나는 날아오른 분진에 휩싸여 땅을 데굴데굴 구르며 혼란에 빠졌다. 검 한 자루가 떨어졌을 뿐인데 어째서 이런 엄청난 충격이 일어나지……?!

위험한 순간에 살아났다는 실감조차 느끼지 못한 채, 나는 아픔을 억누르며 겨우겨우 일어났다. 비틀거리면서도 시선을 들었을 때는 분진도 많이 옅어진 상태였다.
땅에 크레이터가 생겨나 있었다. 운석이라도 떨어졌나 싶은 크레이터가.
그 중심에 검 한 자루가 깊이 꽂혀 있었다.
이상한 검이었다. 도신은 심홍색 같기도 하고 금색 같기도 한 불가사의한 색— 맑은 날의 아침노을 같은, 상쾌하게 잠이 깨는 색이었다. 자세히 보니 칼자루에도 똑같은 금속이 쓰여 있었다.
철이 아니었다. 금도 아니었다. 은도 아니고 동도 아니었다. 보석처럼 보이기도 하지만, 다이아몬드도, 루비도, 사파이어도, 오팔도 아니었다. 그렇게 생각하다 보니 역시 금속으로 보였다.
저게 뭐지……?
저 검은 대체 뭐로 만들어진 거야……?
"이봐…… 이봐…… 진짜냐? 뭐야, 저거……!"
내 의문에는 비키가 깜짝 놀라면서도 몹시 흥분한 목소리로 대답해 줬다.
"저 아침노을색…… 틀림없어. **세상에서 가장 무거운** 금속 히히이로카네! 금보다 백 배 비싸다는 환상의 금속이잖아……!! 그게…… 이봐, 저 검 한 자루로 몇십 년은 놀고먹을 수 있어……!"
도적이라 그런지, 비키는 조금 전까지의 싸움 같은 건

까맣게 잊은 듯 눈빛을 바꿨다. 그 모습을 보니 저 검이 얼마나 대단한 물건인지 짐작이 갔다.

세상에서 가장 무거운 금속…… 히히이로카네.

생김새와 크기는 평범한 장검인데 낙하의 충격은 마치 운석 같았다……. 대체 저 검은 몇백 킬로— 아니, 몇 톤인 거야?

아니, 하지만.

저 검은 독수리가 발에 매달아 왔다. 몇십 마리나 편대를 이뤄서 중량을 분산시켰다지만, 그렇게 무거운 검을 매달고 날 수 있는 독수리가 존재할 수 있나?

가능성은 하나뿐이다.

검의 무게를【자립의 투익】으로 경감했다.

루스트가 아닌 평범한【자립의 투익】은 한계 중량이 있지만, 한계를 넘은 무게더라도 힘이 닿는 데까지 가볍게 할 수는 있다. 그러고 나서【무결의 사전】을 사용해 독수리를 조종하여 검을 여기까지 옮기게 한 것이다.

그런 일을 할 수 있는 사람은 한 명밖에 없다.

타인의 정령술을 모방할 수 있는 정령술【신의의 접수】— 그것으로 여러 정령술을 병용할 수 있는 라켈밖에.

어제 라켈이 했던 말이 머릿속에서 되살아났다.

—너에게 줄 선물이 하나 있어.

—앞으로 더 강해지기 위한 선물.

……설마…….

나는 크레이터 안으로 들어가 땅에 깊이 꽂힌 검 앞에 섰다.

아침노을색 도신. 투명한 칼날.

검이 땅에 꽂혀 있는 모습은 언젠가 책과 모니터로 보았던 옛날이야기의 한 장면 같았다.

—나는 칼자루로 손을 뻗었다.

"하!!"

도적이 코웃음 쳤다.

"그걸 뽑아서 휘두르려고? 농담이라고 하기엔 재미가 없네! 아무리 네가 무게를 없애는 정령술을 쓴다지만 한도라는 게 있잖아? 그건 쓸모없는 관상용이야! 뭐, 아까처럼 위에서 떨어뜨리면 무기가 될 수도 있겠지. 유감이네, 안 맞아서!!"

아침노을색 빛만이 내 눈에 보였다.

지금의 나에게 이 빛은 너무 눈부셨다.

너무나도 어울리지 않고, 분에 넘치고, 꿈같아서, 만지는 것조차 망설여졌다.

그래도, 만약. 이 아름다운 빛을 언젠가 한 점 부끄럼 없이 바랄 수 있다면— 얼마나 행복할까.

그래서 나는 손을 뻗었다.

악몽을 끝내고 이렇게 아름다운 꿈을 그리기 위해.

나는— 새벽빛을 내는 검을 양손으로 움켜잡았다.

"—아?"

비키의 조소가 끊겼다.

내 뒤에서 아지랑이처럼 일렁이는 그 모습을 눈에 담고.

다채로운 날개가 밤의 어둠을 감쌌다.

스테인드글라스를 두른 것 같은 거대한 극채색 새.

공작 모습을 한— 정령의 화신.

"……〈숭고한 이별의 안드레알푸스〉……?"

"……본령빙의(루스트)자라고……? 그런…… 말도 안 되는……. 불과 일흔둘밖에 없는 정령의 본령이…… 아아, 왜, 하필이면……!!"

왜 하필이면?

자업자득이란 말을 알아? 인과응보라는 말을 알아?

—너 같은 악인에게는 불운이 닥쳐야만 한단다, 망할 도적아.

나는 【자립의 투익】으로 검의 무게를 없애고 칼자루를 잡은 손에 힘을 줬다. 당연히 검은 간단히 뽑혀서 그 아침노을색 도신을 아낌없이 밤공기에 드러냈다.

몇 번 휘둘러 보니 아침노을색 빛이 불똥처럼 주변으로 튀었다.

몇 톤짜리 검도 내【자립의 투익】앞에서는 나뭇가지나 다름없었다.

"……천재가……."

원한을 담아 중얼거린 비키를 나는 똑바로 응시했다.

몸 상태는 별로 좋지 않았다. 기회는 아마도 한 번뿐.

"이…… 천재 새끼가아아아아아아아아아아아아아아!!!!!!"

포효가 들린 순간, 나는 움직이고 있었다.

아침노을색 빛이 밤의 어둠을 유성처럼 갈랐다.

뒤늦게 비키의 주먹이 공간을 초월했다.

내 앞을 막듯 여러 개로 분열한 주먹이 쇄도했다.

—《우익의 품새 · 현조》. 그리고《좌익의 품새 · 신천옹》.

라켈이 내게 전수하려고 한 그 기술들은 단순한 이동술일 뿐이다.

어떤 새든 날개만 가지고는 사냥감을 포식할 수 없다.

쪼고, 물고, 먹어 삼키는 날카로운 부리가 필요하다.

나는【자립의 투익】의 스위치를 껐다.

무게를 되찾은 검이 엄청난 기세로 밤공기를 밀어젖혔다.

빼앗겼던 부리가 돌아온 순간, 거대한 새는 화염조차 삼킨다.

—《단취(斷嘴)의 품새 · 화식(火食)》.

교차는 한순간이었다.

조금의 대치도 없이…… 눈 깜짝할 사이에 승부가 났다.

잘린 비키의 오른팔이 흔적도 없이 날아갔다.

"—아."

비키는 분노로 얼굴을 일그러뜨린 채 얼어붙었고.

"……나…… 안 웃고, 있어……."

팔을 잃은 어깻죽지에서 엄청난 양의 피가 폭발적으로 분출되었다.

그 기세에 밀린 것처럼 그 자리에서 휘청휘청 돌며…… 거무칙칙한 빨간색으로 주변의 땅을 더럽히고. —도적은 마침내 자신의 피 웅덩이에 쓰러졌다.

그 모습은— 그녀가 『카지노』라고 칭하며 상처 입혔던 아이들과 매우 비슷했다…….

"……아……파……."

비키가 쓰러지는 것을 지켜본 후, 내 손에서 떨어진 검이 땅에 푹 박혔다. 얼굴을 찡그리고 확인해 보니 손목이 보라색이 되어 있었다.

"지 군! 괜찮아?!"

필이 걱정하며 달려왔다. 나는 괜찮은 척 웃으며 말했다.

"괜찮아. 공격하기 위해 한순간 무게를 되돌렸을 때 살짝 삐었을 뿐이야. ……너야말로 괜찮아? 한 대 맞았잖아……?"

"아무렇지도 않아! 그보다 지 군이 훨씬 더 아파 보여……."

"아야! 잠깐, 바보야, 만지지 마!"
"으아아, 미, 미안……."
시무룩해진 필의 머리를 쓰다듬고 있으니 실감이 났다.
……내가 이겼다.
이건 자만이 아니지?『피투성이 암표범』…….
"—아직 멀었어."
갑자기 목소리가 내려왔다.
필과 함께 고개를 들어 살펴보니 밤하늘 한가운데에 로브를 입은 소녀가 있었다.
"스승님…….", "스승님~!"
라켈은 로브 자락을 부풀리며 발소리도 내지 않고 부드럽게 착지했다. ……이런 별것 아닌 부분에서 기량의 차이를 통감하게 된다.
라켈은 만신창이인 나를— 특히 보라색으로 부어오른 손목을 보고 말했다.
"해방하는 검의 무게를 적절히 가감하면 그렇게 안 돼. 다루는 방식이 아직 조잡해."
"오자마자 하는 말이 그거야……? 우리가 무사한 걸 기뻐해 주지는 않는 건가요~?"
농담처럼 말하자 라켈은 입술을 앙다물더니.
"악!", "아파~!"
나와 필의 머리에 촙을 먹였다.

무슨 짓이냐며 항의하려고 했을 때—.

"—당연히 걱정했지!!"

처음 듣는 고함이 전신을 강렬하게 때렸다.

얼어붙어 있는 사이에 부드러운 온기가 포근하게 몸을 감쌌다.

라켈이 우리 둘을 정면에서 꽉 안은 것이다.

"둘 다 무사해서 다행이야……. 정말로…… 정말로……."

목소리가 아주 조금 축축하고 떨리고 있어서.

나는 기쁘기도 하고 미안하기도 하여 종잡을 수 없는 기분이 들었다.

……분명 그래서다.

종잡을 수 없어서…… 눈물이 되어 뺨을 타고 흐르는 거다.

"조심하라고, 했는데……. 다른 애들을 구하겠다고, 쓸데없는 생각을 하고……."

"……미안, 스승님.", "미안해요, 스승님……."

"정말로, 반성해. 진심으로, 반성해……."

다시는 놓지 않겠다는 듯 라켈이 꽉 끌어안아서 나는 새삼 부끄러워졌다. 어떻게든 말을 돌릴 수 없을까 생각하다가 퍼뜩 떠올렸다.

"스, 스승님. 이 검의 답례로 우리가 선물을 준비했는

데…….”

“어? ……선물?”

나는 라켈이 몸을 떼기를 기다렸다가 바지 주머니를 뒤적였다.

“여깄다. ……자, 이거.”

내가 내민 것은 새하얀 나비를 본뜬 머리 장식이었다. 튼튼해 보이는 걸 고른 보람이 있어서, 그렇게나 대판 싸움을 벌였는데도 흠집 하나 없었다.

“이걸…… 나한테? 너희가……?”

“지 군이 있지, 스승님은 머리카락이 되게 예쁜데 안 꾸며서 아깝다고 했어!”

“야! 그건 말하지 않기로 약속했잖아……!”

그런 소릴 하면 이 성격 나쁜 엘프는 놀려 댈 거라고!

마음의 준비를 했지만…… 그런 나에게 라켈은 부드러운 미소를 지었다.

자, 해충을 없애죠.

†

그 남자는 폐요새의 무너지려는 지붕에 엎드려 타이밍을 가늠하고 있었다.

파란 머리 소녀가 몸을 떼고.

모든 사람의 경계가 느슨해진 순간.

잭 리버에게로 길이 생겼다.

남자가 당긴 활시위를 놓는 데는 1초도 필요치 않았다.

◆

그게 눈에 들어온 것은 우연이다.

지붕 위에 사람이 있었고.

그 사람이 활 같은 것을 들고 있었고.

그리고 바로 지금— 나를 향해 화살을 쐈다.

나만 눈치챈 게 아니었다.

필도, 라켈도, 순식간에 이해했다.

앞으로 약 0.3초 후.

내가 화살에 맞아 절명할 것을.

그래서— 두 사람은 순간적으로 판단했을 것이다.

나를 밀치려고 했다.

필도 라켈도, 몸을 던져서 내 방패가 되려고 했다.

그래서— 내게는 당연한 판단이었다.

나는 반대로 두 사람을, 접질린 양손으로 세게 밀쳤다.

나 말고 다른 사람을 희생하다니— 그런 일은 이제 있어선 안 되니까.

슬로 모션으로 흘러가는 세상에서 두 사람의 경악한 표정이 망막에 새겨졌다.

쇄도하는 화살촉이 그 얼굴을 지웠다.

나는 아마 죽을 것이다.

이대로라면.

—【자립의 투익】!!

화살을 알아차리고 딱 0.3초 후.

날카롭고 뾰족한 화살촉이 내 왼쪽 가슴에 명중했다.

……하지만 그 순간.

나는 이미 나를 부유시킨 상태였다.

화살의 기세에 밀려 땅을 굴렀다. 등이 튀었다. 둥실 떠올랐다. 그대로 풍선처럼 공중에 멈춰 천천히 빙글빙글 위아래로 돌기 시작했다.

화살이 가한 추진력은 전부 흘렀다.

내 왼쪽 가슴에는 상처 하나 나지 않았다.

“지 군!!”, “잭!!”

나는 지면에 착지하여 황급히 달려온 두 사람에게 무사함을 어필했다.

그리고 라켈을 보고 웃었다.

"방금 그건 빨랐지?"

내 반사적 정령술 발동 속도의 최고 기록은 0.5초였다. 하지만 조금 전에는 약 0.3초— 0.2초 경신이었다.

라켈은 힘이 빠진 것처럼 미소 지으며 말했다.

"아직도 이상적인 속도는 아니야."

"엄격하네……."

아직도 배울 건 많은 것 같다…….

"스승님! 저 사람!"

필이 화살이 날아온 방향을 가리켰다.

저격한 녀석이 도망쳤나? 아마 도적단 녀석이리라. 두령의 원수를 갚으려고 했을 것이다. 잔혹한 파티를 노래하고 웃으며 즐기던 녀석들이다. 한 놈도 놓칠 수 없다.

그렇게 생각하고 몸을 긴장시키며 필이 가리킨 곳을 본 나는— 아연실색했다.

남자가 크게 입을 쩍 벌리고서.

날카롭고 뾰족한 화살을 삼키려 했기 때문이다.

뭐라고 말할 새도 없었다.

직후, 남자는 자기 손으로— 깊숙이.

자신의 입 안쪽으로 화살을 찔러 넣었다.

저 깊이라면…… 틀림없이 뇌수에 도달했다.

남자는 힘을 잃고 지붕 위에서 낙하했다.

그 힘 빠진 모습은 명백하게 시체였다…….

너무나도 비정상적이고 이해할 수 없는— 자살, 이었다.

"……대체 뭐야……?"

우리는 한동안 남자의 시체 앞에서 멍하니 있었고—.

—피 웅덩이에 쓰러진 비키가 사라졌음을 전혀 눈치채지 못했다.

피투성이 암표범

"……젠, 자아아앙……."

익숙할 터인 복도가 몹시도 길다…….

머리가 어질어질했다. 입술이 찐득거려서 기분 나빴다. 그래도 이제 메스껍지는 않았다. 토할 피도 안 남아 있나 보다.

아직 다리가 움직이는 것은 확실히 말해서 기적이었다. 나한테, 나한테 기적 같은 게 일어날 줄은 몰랐다…….

그 녀석. 그 망할 애새끼한테 한 방 먹이려고 한 그 녀석. 그 녀석 덕분이다. 하하. 상을 줘야지. 여자면 되나? 아니면 비싼 술? 아아, 젠장…… 머리가…….

"……제기랄…… 제기랄…… 제기, 랄……."

왜 내가 도망쳐야 하는 거야……. 잘하고 있었잖아……. 거친 사내놈들을 거느리고……『길드』랑도 잘 지내고…… 만사형통 아니었냐고……!

그랬는데 그 애새끼들이…… 애새끼…… 망할 애송이…… 계집년…… 베니 녀석도……『술노예(術奴隸)』 주제에 배신하다니……! 죽일 거야…… 죽일 거야…… 전부 죽일 거야……! 다친 팔이 좀 더 제대로 아물면……. 거들먹거리는『길드』 녀석들한테서도 한몫 제대로 챙기고……!

……왜 일이…… 이렇게 되어 버렸지……?

나는…… 아무 불편 없이 만사형통한 인생을 살 수 있었을 터다……. 보잘것없는 남작가였지만 가난하지도 않은 귀족으로 태어나서……【절적의 허혈】이라는 희귀한 정령술을 가지고 태어나서…… 장래를 촉망받았다……. 그랬는데…….

내게는 재능이 없었다.

아무리 노력해도, 공부해도, 손목이 통과될까 말까 한 구멍만 열 수 있었다……. 정령술 학원에 들어갈 추천장도 얻을 수 없었고…… 그리고—.

—귀족님은 뭐래? 사랑하는 딸을 위해 얼마나 내겠대?

—그게 말이지, 걸작이야. 이제 필요 없으니 마음대로 하라더라!

어느 날, 도적에게 납치당했다.

아버지는 몸값을 내지 않았다.

여전히…… 어느 때고 생각난다……. 내 모든 것을 부정당한 그 순간……. 이 세상에 내가 있을 곳이 없음을 안 그 순간…….

창관에 팔린 나는 처음 보는 남자를 추켜세우며 비위를 맞추는 나날을 보냈다. 떠올리기만 해도 욕지기가 나는 최악의 나날을. 하지만— 당시의 나는 오히려 만족감을 느꼈다.

칭찬해 줬으니까.

필요로 해 줬으니까.

밤마다 여러 사람이 번갈아 가며 나를 원했다. 이런 행복은 또 없을 거라고, 이 일은 틀림없이 내 천직이라고, 부모에게 버려진 나는 진심으로 생각했었다…….

잘 교태 부리고 잘 아양 떨어서 나는 최고가 되었다. 손님, 지배인, 동료 여자들. 다들 나를 극찬했다. 내가 있을 곳은 여기다. 내 재능은 이거다. 친가에는 없었던 것이 그곳에 있었다.

그러던 어느 날, 거리에서 언니를 봤다.

나는 어리석었다. 그래서 말을 걸었다. 언니! 오랜만이야! 잘 지냈어? 걱정 끼쳐서 미안해. 나도 잘 지내고 있어! 지금은 저쪽 거리에 있는 창관에서 일해! 나 손님들한테 제일 인기가 많아. 굉장하지!

언니는 오물을 보는 듯한 눈으로 나를 봤다.

그 순간, 나는 불현듯 수치심을 되찾았다. 자신의 비참함을 떠올렸다. 내 인생은 본래 가야 할 길에서 크게 벗어나 완전히 실패했음을 깨달았다.

재능이 없었기 때문에.

이성을 되찾은 나는 더 이상 당당하게 교태 부리지 못했다. 손님이 속삭이는 사랑에 몸서리쳐졌고, 밤마다 먹은 걸 전부 게워 냈다. 남자에게 아양 떠는 자신이 역겨웠다. 살아 있는 게 부끄럽지도 않아? 분하지 않아? 뭘 헤실헤실

처웃는 거야!
그렇게 자해 행위를 반복한 끝에 생각했다.
도적이 되자.
예전에 나의 모든 것을 빼앗은 도적이.
내가 아양 떨었던 남자들을 거느리고서.
나는 전부 뺏겼다. 그렇다면 이번에는 내가 빼앗을 차례다.
뻥 뚫린 가슴을 채우는 데 그것보다 좋은 방법은 없잖아?
"……아직, 이야……."
나는 걸었다.
"……아직, 부족, 하다고……."
아직 부족해. 아직 부족해. 아직 부족해.
내 안은 아직 전혀 채워지지 않았어.
이럴 리가 없었다. 아직 기대받던 그때는, 도적에게 납치당하기 전에는, 좀 더, 좀 더 여러 가능성이 내 안에—.
"……아?"
나는 위화감을 느끼고 멈춰 섰다.
……여기가 어디지……?
나는 안전하게 도망칠 수 있는 뒷문으로 가려고…… 폐요새의 복도를…… 걷고 있었을 터다. 그런데…… 이 맥박치는 벽은 뭐지……. 이 혈관 같은 관은……? 마치 커다란 괴물의 배 속 같은…… 이 공간은 대체 뭐야?
두근, 두근.

고동 소리가 났다. ……내 고동인지, 아니면 맥박 치는 벽에서 나는 소리인지…… 판별이 되지 않았다. 들으면 들을수록 나 자신과 이 기묘한 공간이 엉망으로 뒤섞이는 것 같았다. 먹혀 가는 것 같았다.

머릿속에 있던 지식과 눈앞의 광경이 합치했다.

들은 적이 있다……. 어떤 정령술로 만들어 내는 기묘한 공간……. 『길드』의 눈 밖에 난 자는 예외 없이 이 공간에 삼켜져서…… 어디선가 솟아나는, 이 세상 것이 아닌 듯한 괴물의 위장에 들어간다고 했다……. 그래, 이건—.

—미궁(던전).

……웃기지 마……!!

나는, 나는 더 살 거야……! 나는 아직 전혀 행복해지지 못했어……!!

발을 질질 끌며 섬뜩하게 꿈틀거리는 벽에 손을 짚고 고개를 든 순간, 어둠 속에서 낯익은 것을 찾아냈다.

두 아이였다.

키부터 얼굴, 시체처럼 하얀 피부까지, 마치 거울처럼 똑 닮은 쌍둥이 남매가 무표정으로 나를 바라보고 있었다.

베니…… 그리고 비니.

내가 【절적의 허혈】을 과대 포장하기 위해 『길드』에서 산

술노예들이었다. 순종적이고 연약한…… 어른이 없으면 아무것도 못 하는…….

"……헤, 하하……."

아아, 왜일까……. 왜 저 녀석들을 보니 이렇게 안심이 되지……? 고통이 차분해진다……. 숨이 편안해진다……. 아픔도 괴로움도 어딘가로 멀리 가 버리는 것 같다. 그래…… 저 녀석들만 있으면 나는 최강의 정령술사가 될 수 있다. 재능 따위 없어도, 저 녀석들만 있으면…….

손을 뻗으며. 무거운 발을 앞으로 한 걸음 내디뎠다.

"안녕히 계세요."

"이 말을 하려고 왔어요."

그때, 쌍둥이가 억양 없는 목소리로 말했다.

……뭐?

"『길드』에서 연락이 왔어요. 계약은 끝났어요."

"저희는 『길드』로 돌아갈 거예요. 지금까지 감사했습니다."

뭐……? 뭐? 뭐? 뭐? ……아니아니, 이봐. 잠깐 기다려, 잠깐잠깐. 돌아간다고? 말도 안 되는 소리……. 너희는 나의……!

"……허락해 줄 것, 같아? 노예들아아아아……!! 네 녀석들한테, 자유 따위, 없어……!! 너희는 평생! 나의, 날 위해……!!"

"어라?"

"착각하신 것 같은데요."

쌍둥이는 좌우 대칭으로 고개를 갸웃하고 말했다.

"저희는 렌털된 거지 당신의 소유물이 아니에요."

"아무렇지도 않게 때려서 이상하다고 생각은 했어요. 저희를 다치게 하면 손해 배상이 필요하다는 걸 몰랐던 거군요."

손해…… 배상……? 뭐라고……? 영문 모를 소리 하지마! 아무런 가능성도 장래도 없는 노예가 나한테! 나한테 영문 모를 소리를……!

"『길드』는 당신에게 더 이상 지불 능력이 없다고 판단했어요."

"전부 신속하게 처분될 거예요. 이건 『그녀』의 결정이에요."

쌍둥이의 말이 머릿속에 들어오지 않았다. 그럴 리가 없다. 그럴 리가 없다. 나는, 『피투성이 암표범』은, 『진홍의 고양이』는, 아직, 좀 더, 좀 더—!!

쌍둥이가 휙 등을 돌려 동굴 안쪽으로 사라지려고 했다.

"도망칠 수, 있을 것, 같아아아아아……?!"

나는 피가 엉겨 붙은 목을 쥐어짜 그 등에 대고 외쳤다.

"너희 같은 애새끼들한테! 노예한테! 미래 따위 없어어어!!"

쌍둥이가 나란히 우뚝 발을 멈췄다.

그리고 다시 한번 나를 돌아보고 말했다.

오싹하리만큼 **똑같은** 미소를 가면처럼 짓고서.

"아뇨! 걱정하지 않으셔도 돼요!"

"저희의 우상(미래)은 이미 찾았거든요!"

""**그 사람들**과 만나게 해 주셔서 정말 고맙습니다!""

섬뜩한 동굴에 쌍둥이의 목소리가 울려 퍼졌을 때였다.

주위의 어둠에서 배어 나오듯— 근육질 남자들이, 『진홍의 고양이』 녀석들이, 내 부하들이 나타났다.

"……너, 희…… 마침 잘 왔어……!"

저 쌍둥이를 잡아. 놓치지 마.

그렇게 말하려고 했을 때, 부하들 중 한 명이 나를 내려다보며 말했다.

"귀족 출신이었군요, 누님."

—아?

"그렇게나 무법자인 척해 놓고 실은 아가씨였던 거네요."

"지금은 믿음직한 도적인데, 예전에는 창관에서 남자한테 교태를 부렸던 거네요."

"뭔가, 의외네요……?"

부하들이 저마다 말했다.

아까까지 그렇게나 나를 따랐던 사내들이…… 나를 내려다보고, 깔보며, 연민조차 느껴지는 목소리로 내 허식을 벗겨 냈다.

"실은 우리 앞에서 꽤 무리했던 거네요."

"호방한 이미지였는데, 뭔가 충격적이야."

"예전에는 어땠어요? 한번 해 보세요."

그만해……. 그만해……. 제발 그만해…….

나는 『피투성이 암표범』이야……. 우는 아이도 뚝 그치는 대도적 두령……. 누구나 무서워하는…… 무엇이든 빼앗는…… 남자한테 아양 떨지 않아도 살아갈 수 있는…… 최강의…….

"이봐! 뭐라고 말 좀 해 보라고, 아가씨!!"

"우리한테 잘도 지시를 내렸네?! 능력이라고는 아양 떠는 것밖에 없으면서!!"

"남자 비위를 맞추는 건 특기잖아?! 얼른 해 보란 말이야!!"

귀를 막고 웅크렸다. 하지만 목소리는 멎지 않았다. 머릿속에 계속 울렸다.

이 목소리는 현실인가? 아니면 내 피해망상? ……혹은.

"—아, 맞다."

"하나 더."

쌍둥이의 목소리가 유독 크게 들려서 나는 얼굴을 들었다.

등 돌린 쌍둥이 너머, 동굴 안쪽 어둠에 **반절뿐인 가면**이 떠올라 있었다.

"비키 씨. **그 사람**은 그렇게 말했지만."

"저희를 이용해 필사적으로 자신을 부풀려 보인 당신은—."

""—아주 **기특하고 사랑스러웠다**고 생각해요.""

……아.

나는 결국.

남자에게 사랑받으려고 아양을—.

남자들이 나를 내려다보고 있었다.

남자들이 나를 깔보고 있었다.

나를 버린 아버지가. 나를 납치한 도적이. 나를 산 손님들이. 나를 멸시한 언니가. 그 모습에 겹쳐 보여서.

"……사."

목 안쪽에서 너무나도 자연스럽게 흘러나온 그것은…….

지금까지 수도 없이 많은 아이들에게 들었던—.

"……살려, 줘……."

베니는, 비니는— 내게 그저 이용되는 존재였을 터인 쌍둥이는.

""안 돼요.""

더는 멈춰 서지도 않았다.

"왜냐하면 **그 사람**이 말했으니까요."

"왜냐하면 **그 사람**이 정했으니까요."

"어떤 과거가 있든, 용서될 리 없다고."

"어떤 사정이 있든, 용서될 리 없다고."

"그러니까 당신은 누구의 도움도 받지 못하고."

"최대한 비참하고 끔찍하게."

""**죽어야 해요**.""

남자들이 다가왔다. 남자들이 몰려들었다.

내 안에서 무언가가 뚝 끊겼다.

싫어, 싫어, 싫어, 죽기 싫어, 죽기 싫어, 죽기 싫어어어어어어어……!! 잘못했어요, 잘못했어요, 잘못했어요! 사과할게요, 이제 안 할게요, 마음을 고쳐먹을게요! 평생 속죄할게요, 행복 따위 이제 바라지 않을게요, 평생 불행해도 좋아요! 그러니까, 그러니까 부디—.

—이딴 건 **악몽**이라고, 말해 주세요.

◆

잠시 후 아빠가 데려온 『진홍의 고양이』 토벌대와 함께 나는 폐요새 안을 조사했다.

필은 자기 아빠 곁으로 돌아갔고, 라켈은 구해 낸 아이들을 챙기러 갔다.

사실은 나도 돌아가라는 말을 들었지만, 아빠에게 애원하여 조사에 동행하게 되었다.

……안 좋은 느낌이 들었다.

결코 간과해서는 안 되는 느낌이.

그 결과— 우리는 예상치 못한 모습을 보게 되었다.

"……이건…… 뭐야……."

아빠가 아연실색하여 중얼거렸다.

안뜰이었다.

『카지노』라고 칭한 미친 연회가 열렸던 그 넓은 안뜰이—.

—지금은 온통 피바다에 잠겨 있었다.

총 서른세 구.

도적들의 시체가— 그것도 **자살한 시체**가 차곡차곡 쌓여 있었다…….

어떤 이는 손에 든 검으로 숨통을 끊었고.

어떤 이는 벽에 몇 번이나 머리를 박았고.

어떤 이와 어떤 이는 서로의 목을 꺾은 상태였다.

확고하고 강인한 의지가 없으면 할 수 없는 너무나도 철저하고 편집적인 파괴가 서른세 구, 단 하나의 예외도 없이 자신의 손으로 자기 자신에게 이루어져 있었다…….

하지만 그것들조차 들러리에 불과했다.

더 기묘하고 섬뜩하고 끔찍한 시체가 안뜰 중심에 **흩어져 있었다**.

여도적 비키가 토막 나 있었다.

왼팔도, 오른발도, 왼발도, 그리고 목도.

전부— 그래, 『룰렛』이 된 아이처럼 절단되어 죽어 있었다.

흉기로 보이는 나대는 비키의 왼손에 있었다.

보통 같으면 타살일 수밖에 없는 상황이지만…… 비키는 사정이 달랐다.

【절적의 허혈】을 사용하면 왼손을 사용해 자신의 왼팔을 절단할 수 있고, 그와 동시에 목도, 양발도, 다른 부위도 간단히 절단할 수 있기 때문이다.

그 광경을 보고 나는 여기서 일어난 일을 상상할 수밖에 없었다.

베니에게 그랬던 것처럼 험상궂은 남자들이 둥글게 앉아 자신들의 두령을 에워싸고, 야유하고, 떠들썩하게 웃으며, 비키가 자기 손으로 자신의 몸을 토막토막 분해하는 모습을 구경하고…….

그러고 나서. ……마치 뒤를 따르듯 자신들도 그 자리에서 자신을 파괴했다.

『진홍의 고양이』.

그 이름대로, 자기 손으로 자신을 진홍색으로 물들인 것이다.

옆에 선 아빠는 신음조차 내지 못했다.

너무나도 비정상적이었다.

도저히 이해할 수 없었다.

마치, 그래, 난잡한 악몽 같았다.

밤하늘 한가운데서 달이 휘황하게 빛나고 있었다.

세상이 밤인 한, 그 빛은 결코 피할 수 없다.

이리하여 도적단『진홍의 고양이』는 괴멸했다.

자살 시체 더미는 너무나도 수상쩍었기에 아빠가 함구령을 내렸다. 그러나 사람의 입은 막을 수 없었다. 단편적인 정보가 사람들 사이에 오가다가 이윽고 항간에 이런 소문이 돌기 시작했다.

—일곱 살밖에 안 된 소년과 소녀가『진홍의 고양이』를 괴멸시켰다고 한다.

그 소문이 라에스 왕국의 왕도 레이나디아에— 왕립 정령술 학원에 전해지는 것은 금방이었다.

〈황금의 소년기: 재능 태동편— THE END〉

〈TO BE CONTINUED TO— 황금의 소년기: 신동 집결편〉

전생 따위로 도망칠 수 있을 줄 알았나요, 오빠? 1

초판 1쇄 발행 2022년 9월 10일

지은이_ Kyosuke Kamishiro
일러스트_ Kirin Kakeru
옮긴이_ 송재희

발행인_ 신현호
편집장_ 김승신
편집진행_ 권세라 · 최혁수 · 김경민 · 최정민
편집디자인_ 양우연
관리 · 영업_ 김민원

펴낸곳_ (주)디앤씨미디어
등록_ 2002년 4월 25일 제20-260호
주소_ 서울시 구로구 디지털로 26길 111 JnK디지털타워 503호
전화_ 02-333-2513(대표)
팩시밀리_ 02-333-2514
이메일_ lnovellove@naver.com
L노벨 공식 카페_ http://cafe.naver.com/lnovel11

TENSEIGOTOKI DE NIGERARERUTODEMO, NIISAN ? Vol.1

ISBN 979-11-278-6538-2 04830
ISBN 979-11-278-6537-5 (세트)

값 7,800원

L NOVEL
전생자. 딸인 나는
엄마는 정령, 아빠는 영웅
6
마츠우라
keepout